SHORT STORIES IN COLOMBIAN SPANISH: EXPERIENCE COLOMBIAN CULTURE AND ENHANCE YOUR SPANISH WITH 20 VIBRANT SHORT STORIES AND KEY VOCABULARY

TABLE OF CONTENTS

INTRODUCTION

Currently, Spanish is a rich and diverse language, with nuances intertwined in everyday conversations that reflect the plurality of human experiences. Daily life, the vast fabric shaping our everyday reality, finds its place in the broad tapestry of Colombian Spanish. Just as Spanish intertwines with regional variations, everyday life also takes on unique tones and nuances in every corner of the Spanish-speaking world.

For those looking to explore the subtleties of Spanish in the context of everyday life in Colombia, an exciting solution emerges: *Short Stories in Colombian Spanish*. This captivating book, designed for those wanting to deepen their intermediate-level Spanish, presents 20 engaging stories of daily life expressed through dialogues, using the Spanish spoken in various regions of Colombia.

In this book, you'll find:

- **Vocabulary expansion:** Immerse yourself in exciting stories that allow you to discover new words and expressions. At the end of each story, you'll find a detailed glossary to help you understand and use these words naturally.
- **Exploration of diverse daily lives:** Each story offers an intimate glimpse into the different ways daily life manifests in various regions in Colombia. You'll discover new words and expressions related to everyday life in diverse contexts.
- **Reading comprehension development:** After each story, we challenge you with five multiple-choice questions to strengthen your reading comprehension.

So, whether you're a Spanish enthusiast looking to deepen your language skills or simply someone who wants to immerse themselves in captivating stories of everyday life, *Short Stories in Colombian Spanish* offers a unique experience. Let the emotions flow and dive into the richness of Spanish as you explore the complexities and beauties of life in all its forms.

Enjoy your reading!

1. LA ABUELA

En la histórica ciudad de Popayán, Colombia, Claudia, una abuela de cabellos plateados, está sentada en la mecedora de su patio junto a Guillermo, su nieto adolescente. El sol de la tarde ilumina la escena mientras Claudia se dispone a compartir historias que han sido parte de su familia y la rica tradición local.

Claudia: ¡Guillermo, ven acá, parcero! ¿Te gustaría escuchar algunas historias de cuando era joven?

Guillermo: ¡Claro, abuela! Siempre me cuentas cosas chéveres. Estoy listo.

Claudia: Muy bien, mi niño. Déjame contarte sobre los amigos que tenía. Era un grupo bien chévere.

Guillermo: ¿En serio, abuela? ¿Qué hacían ustedes?

Claudia: Pues, teníamos nuestro propio parche. Íbamos a la plaza a jugar al tejo y nos gustaba charlar en la esquina del parque.

Guillermo: ¡Eso suena muy divertido, abuela! ¿Y qué más?

Claudia: En aquella época, la vida era más tranquila. En las noches, nos sentábamos en las sillas de la calle y simplemente disfrutábamos del fresco. Todos éramos como una gran familia.

Guillermo: ¿Y hay algo más que quieras compartir, abuela?

Claudia: ¡Ah, sí! Deberías saber sobre las tradiciones de nuestra ciudad. Popayán tiene una Semana Santa espectacular. La procesión de los pasos es algo único, es una tradición que nos hace sentir orgullosos de nuestra historia.

Guillermo: ¿También participabas en eso, abuela?

Claudia: Claro. Ahora ya no, pero la tradición sigue siendo fuerte en nuestra familia. Es una manera de respetar lo que nos han dejado los abuelos y bisabuelos, ¿entiendes?

Guillermo: Sí, abuela. Es importante mantener esas tradiciones. ¿Hay algo más que deba saber?

Claudia: (pensativa) Bueno, hay una historia que involucra a tu bisabuelo y una aventura que tuvieron en las montañas. Era un parcero muy valiente.

Historia del Bisabuelo:

Claudia: Un día, tu bisabuelo y sus amigos decidieron hacer una travesía a las montañas. Era un parche bien unido. Se adentraron en la selva, enfrentándose a los retos del terreno.

Guillermo: ¿Y qué pasó, abuela?

Claudia: El lugar era tan impresionante que decidieron acampar allí. Hicieron fogatas, compartieron historias y hasta encontraron petroglifos que contaban la historia de los indígenas de la región. Fue una experiencia única, parcero.

Guillermo: ¡Qué aventura tan chévere, abuela! Me encantaría hacer algo así.

Claudia: Pues, siempre es bueno mantener viva esa chispa de aventura, pero también aprender de nuestras raíces. ¿Entiendes, Guillermo?

Guillermo: Sí, abuela. Es como si la historia y las tradiciones fueran el fuego que nos une.

Claudia: Exactamente, mi niño. La conexión entre generaciones es lo que hace que nuestra cultura sea tan especial. Mantener esas historias vivas es nuestra responsabilidad.

La tarde avanza, pero las historias de Claudia continúan, construyendo un puente entre el pasado y el presente. En ese rincón de Popayán, entre risas y recuerdos, se celebra la riqueza de la cultura y la importancia de transmitirla de generación en generación.

Vocabulario:

1. **Mecedora:** Silla que se balancea hacia adelante y hacia atrás.
2. **Parcero:** Término coloquial usado para referirse a un amigo o compañero.
3. **Chéveres:** Algo que es genial, agradable o divertido.
4. **Parche:** Grupo de amigos reunidos para pasar un buen rato.
5. **Tejo:** Deporte colombiano que involucra lanzar discos metálicos a un objetivo.
6. **Fresco:** Estado de relajación o despreocupación.
7. **Procesión de los pasos:** Evento religioso que implica llevar imágenes en una procesión.
8. **Acampar:** Permanecer temporalmente en un lugar al aire libre, usualmente en tiendas de campaña.
9. **Petroglifos:** Grabados o dibujos en rocas antiguas.

10. Rincón: Ángulo o lugar apartado en una habitación.

Preguntas de elección múltiple

Selecciona la alternativa correcta:

1. ¿Qué actividades disfrutaba el parche de amigos de Claudia en su juventud?

a) Jugar al tejo y charlar en la esquina del parque
b) Ir a la playa y hacer surf
c) Visitar museos y galerías de arte
d) Practicar deportes extremos en la montaña

2. ¿Qué tradición destacó Claudia como importante en Popayán?

a) La feria gastronómica anual
b) La Semana Santa y sus procesiones
c) La celebración de festivales de música
d) La competencia de fuegos artificiales

3. ¿Cómo describió Claudia la procesión de Semana Santa?

a) Como un desfile de moda
b) Como una tradición única con pasos religiosos
c) Como una competencia de baile
d) Como una carrera de autos clásicos

4. ¿Qué hizo el bisabuelo de Guillermo durante la travesía a las montañas?

a) Encontró un tesoro escondido
b) Descubrió petroglifos que contaban la historia de los indígenas
c) Se perdió y tuvo que ser rescatado
d) Tomó fotografías de la naturaleza

5. ¿Cuál es el mensaje principal que Claudia quiere transmitir a Guillermo?

a) Que debería aventurarse más en la selva

b) La importancia de mantener viva la chispa de la aventura
c) Que las tradiciones no tienen valor
d) Que la historia no es relevante en la actualidad

2. BUSCANDO EMPLEO

En Manizales, una ciudad colombiana rodeada de montañas, se encuentra Diego, un joven recién graduado de la universidad. La historia sigue sus desafíos mientras busca empleo en un mercado laboral competitivo. Las expectativas familiares y las presiones sociales son temas clave a medida que enfrenta la realidad de la vida después de la universidad. Diego está sentado en la mesa de una cafetería, hojeando su currículum.

Diego: ¿Qué hago, mono? La verdad, estoy sintiendo mucho desánimo. Toda esta situación de buscar trabajo está matándome.

Julia: Tranquilo, pelado. Todos pasamos por eso después de graduarnos. Solo necesitas encontrar la oportunidad adecuada.

Diego: Pero mis papás están esperando que consiga algo pronto. Siento que los estoy decepcionando.

Julia: No eres el único. Todos sentimos esa presión. Pero, ¿has considerado ampliar tu búsqueda? Tal vez haya oportunidades que no has explorado.

Diego y Julia están revisando las ofertas de trabajo.

Diego: Esto está difícil. ¿Tienes alguna idea de cuánta competencia hay?

Julia: Sí, es una ciudad grande, llena de gente buscando trabajo. Pero no te desanimes, pelado. Vamos a encontrar algo.

Después de alguno días, Diego consiguió ser llamado para una entrevista de trabajo para un puesto en una empresa de tecnología.

Entrevistador: Cuéntame, Diego, ¿por qué crees que eres la persona adecuada para este puesto?

Diego: Bueno, me gradué con honores y tengo experiencia en proyectos similares durante la universidad. Además, me considero una persona comprometida y dispuesta a aprender.

Entrevistador: Bien, te llamaremos si eres seleccionado. Hay muchos candidatos fuertes.

Diego y Julia se reúnen después de la entrevista.

Julia: ¿Cómo fue?

Diego: No sé, mono. Siento que podría haber ido mejor. ¿Y si no consigo nada?

Julia: No pienses así. La verdad es que esto es una montaña rusa, y a veces hay que enfrentarse a varias entrevistas antes de conseguir algo.

Después de varios días y de varias entrevistas, Diego finalmente recibe una oferta de trabajo.

Diego: ¡Mono, lo logramos! Me ofrecieron el puesto en la empresa de tecnología. ¡No puedo creerlo!

Julia: ¡Te lo dije, pelado! Ahora, a celebrar en grande. Esta victoria merece un buen brindis.

Diego y Julia están brindando con jugo de guayaba.

Diego: Gracias, mono, por estar siempre ahí. No sé qué haría sin ti y tus sabios consejos.

Julia: (riéndose) No hay problema, Pelado. Estoy aquí para apoyarte en las buenas y en las malas. ¡A tu éxito y al futuro!

Diego: ¡A nuestro éxito y a seguir enfrentando los desafíos con actitud positiva!

Ambos levantan sus vasos y brindan por las experiencias que les ha traído la vida después de la universidad.

Vocabulario:

1. **Presiones:** Influencias o fuerzas que incitan a actuar de cierta manera.
2. **Mono:** Término coloquial para referirse a un amigo o compañero.
3. **Pelado:** Joven o chico.
4. **Decepcionado:** Sentimiento de desilusión o descontento.
5. **Desanimes:** Expresión para animar a alguien a no perder la esperanza.
6. **Adecuada:** Que cumple con los requisitos o expectativas.
7. **Guayaba:** Fruta tropical de pulpa suave y dulce.

Preguntas de elección múltiple

Selecciona la alternativa correcta:

1. ¿Qué desafío enfrenta Diego después de graduarse de la universidad?

a) Buscar un departamento en Manizales

b) Encontrar trabajo en un mercado laboral competitivo
c) Decidir si continuar con sus estudios
d) Organizar un evento especial en la ciudad

2. ¿Cómo se refiere Julia cariñosamente a Diego?

a) Checho
b) Mono
c) Guayabo
d) Pelado

3. ¿Qué recomendación le da Julia a Diego para afrontar la búsqueda de empleo?

a) Ampliar la búsqueda y considerar nuevas oportunidades
b) Dejar de buscar y esperar a que las cosas mejoren
c) Concentrarse solo en las grandes empresas
d) Renunciar a las expectativas familiares

4. ¿Cómo se siente Diego después de su primera entrevista de trabajo?

a) Seguro y optimista
b) Desanimado y derrotado
c) Sorprendido y emocionado
d) Indiferente y relajado

5. ¿Qué celebran Diego y Julia al final de la historia?

a) La graduación de Diego
b) El éxito de Diego en su nuevo trabajo
c) La apertura de un nuevo bar en la ciudad
d) El inicio de unas vacaciones en la playa

3. EL RETO UNIVERSITARIO

Sonia, una joven indígena wayuu de La Guajira, se enfrenta a desafíos culturales y económicos en su búsqueda por obtener una educación universitaria. Ignacio, su amigo y confidente, la apoya en su lucha por igualdad de oportunidades y superación personal. Sonia está sentada en la hamaca de su hogar, mirando al horizonte. Ignacio se acerca.

Sonia: ¡Ignacio! No sé cómo decirlo, pero quiero más para mí y para mi comunidad. Quiero estudiar en la universidad.

Ignacio: ¡Claro que sí, Sonia! Tienes todo el derecho. Pero sabes que no será fácil.

Días después, Sonia e Ignacio visitan la universidad para obtener información sobre los procesos de admisión.

Ignacio: Aquí estamos, Sonia. Este es el primer paso para alcanzar tus sueños.

Sonia: ¿Crees que encajamos aquí? Somos diferentes, Ignacio.

Ignacio: Somos diferentes, pero eso no significa que no pertenecemos. ¡Vamos a averiguar qué se necesita para ingresar!

Después de obtener información, Sonia es aceptada en el proceso y se enfrenta a una entrevista de admisión, donde debe explicar sus raíces indígenas y la realidad de La Guajira.

Entrevistador: Sonia, cuéntanos sobre tu comunidad wayuu y por qué quieres estudiar aquí.

Sonia: (Con determinación) Quiero aprender para regresar y cambiar la realidad en La Guajira. Quiero ser la voz de aquellos que no pueden llegar hasta aquí.

Sonia es aceptada en la universidad, sin embargo, se encuentra con desafíos económicos para costear los estudios.

Ignacio: Gonorrea, Sonia, esto es caro. Pero no te preocupes, encontraremos una manera.

Sonia: No hay límite para lo que podemos lograr, si nos esforzamos juntos.

En el primer día de clases, Sonia e Ignacio observan todo sorprendidos e ilusionados.

Sonia: Esto es surreal. ¿Te das cuenta de lo lejos que hemos llegado?

Ignacio: Lo logramos, ñera. Pero esto es solo el principio.

Los años pasaron y Sonia regresó a La Guajira después de obtener su título. Conversa con Ignacio.

Sonia: Regresé, pero siento que tengo una responsabilidad aún mayor ahora.

Ignacio: No olvidemos de dónde venimos ni a quienes representamos.

Sonia, con su título en mano, habla ante su comunidad.

Sonia: Puedo ser la primera, pero no seré la última. Juntos, podemos cambiar nuestras vidas y nuestras historias.

Ignacio: ¡Eso es! ¡Si se puede!

En La Guajira, Sonia e Ignacio demostraron que la igualdad de oportunidades es posible, incluso en contextos desafiantes. Su historia inspiró a otros a perseguir sus sueños.

Vocabulario:

1. **Indígena Wayuu:** Miembro del pueblo indígena Wayuu, originario de la región de La Guajira en Colombia.
2. **Confidente:** Persona en quien se confían secretos o se comparten pensamientos íntimos.
3. **Hamaca:** Tela suspendida utilizada como cama o asiento, común en regiones tropicales.
4. **Encajamos:** Encajar o adaptarse adecuadamente a una situación.
5. **Pertenecemos:** Ser parte de un grupo o comunidad.
6. **Wayuu:** Pueblo indígena de la península de La Guajira, en Colombia y Venezuela.
7. **Costear:** Financiar o cubrir los gastos de algo.
8. **Gonorrea:** Expresión coloquial utilizada para expresar sorpresa o molestia.
9. **Caro:** Que tiene un alto costo o valor.
10. **Surreal:** Irreal o fuera de lo común.
11. **Ñera:** Término coloquial para referirse a una persona.
12. **Título:** Documento que certifica la finalización de estudios o

la posesión de un cargo.

13. **Desafiantes:** Que desafía o presenta dificultades.

Preguntas de elección múltiple

Selecciona la alternativa correcta:

1. ¿Cuál es el principal desafío que enfrenta Sonia al principio de la historia?

a) Encontrar a su amigo Ignacio
b) Conseguir empleo en La Guajira
c) Superar barreras culturales y económicas
d) Viajar a Bogotá

2. ¿Qué representa la universidad para Sonia y Ignacio?

a) Un lugar desconocido
b) Una oportunidad para celebrar
c) Un obstáculo insuperable
d) La posibilidad de cambiar sus vidas

3. ¿Qué mensaje transmite Sonia durante la entrevista de admisión?

a) Quiere estudiar solo por diversión
b) Busca cambiar la realidad en La Guajira
c) No tiene interés en su comunidad
d) Quiere pertenecer a la universidad

4. ¿Cuál es el significado de la palabra "gonorrea" en la historia?

a) Expresión de asombro
b) Persona estudiosa
c) Momento de celebración
d) Sin límites para el esfuerzo

5. ¿Cuál es el mensaje final de la historia?

a) La educación universitaria es inalcanzable
b) Cambiar la realidad requiere esfuerzo y determinación

c) Ignacio nunca creyó en los sueños de Sonia
d) La Guajira no necesita cambios

4. EL AGRICULTOR

En una pequeña finca en el Valle del Cauca, Colombia, Andrés, un agricultor de mediana edad, enfrenta la realidad de desafíos climáticos y económicos mientras intenta mantener su plantación de plátanos. Daniela, una ingeniera agrónoma, visita la finca para ofrecer asesoramiento. El sol radiante y la brisa cálida hacen eco en la tierra fértil que, a pesar de sus desafíos, sigue siendo la fuente de sustento para la familia de Andrés.

Andrés: (suspirando) ¡Ay, parce! La cosecha de plátanos no está respondiendo como antes.

Daniela: Sí, Andrés. El cambio climático nos está jugando una mala pasada. ¿Has notado alguna variación en las lluvias?

Andrés: Sí. Las temporadas de lluvias están más cortas y menos intensas. Me tiene pelao.

Daniela: Lo entiendo. Voy a revisar el suelo para ver si hay alguna solución. ¿Cómo han estado las ventas?

Andrés: Los intermediarios siempre quieren llevarse lo mejor y dejarnos con la paila.

Daniela: Sí, eso es un problema común. Pero tal vez podamos explorar otras opciones, como vender directamente al mercado local.

Andrés: Eso suena bien, pero con los precios actuales, ni pa' pagar las cuentas alcanza.

Daniela: (sonríe) Entiendo. Pero tal vez, con algunas mejoras en la producción y un enfoque más sostenible, podamos hacer que la finca sea más rentable.

Los dos caminan por la finca mientras Daniela observa detenidamente las plantaciones.

Daniela: Andrés, ¿has considerado implementar sistemas de riego más eficientes para combatir la falta de lluvia?

Andrés: La verdad, no lo había pensado. ¿Eso ayudaría?

Daniela: Sí, definitivamente. Reduciría la dependencia de las lluvias y aseguraría un suministro constante de agua para las plantas.

Andrés: ¡Chévere! Vamos a probar eso. Pero lo del mercado local, ¿cómo lo hacemos?

Daniela: Podemos organizar ferias locales, establecer contactos directos con los compradores y promocionar la calidad de tus plátanos. Además, podrías considerar certificaciones orgánicas para atraer a un público más consciente.

Andrés: Suena bien, Daniela. ¿Pero eso no es muy complicado?

Daniela: Con un poco de organización y tu pasión por la tierra, podemos lograrlo. Además, puedo ayudarte a solicitar programas de apoyo del gobierno para agricultores.

Andrés: ¡Vamos a ponerle berraquera a esto entonces!

Daniela y Andrés comienzan a trabajar en un plan para implementar los cambios necesarios en la finca. Mientras avanzan, conversan sobre las nuevas estrategias y posibilidades.

Daniela: Andrés, entiendo que esto es difícil, pero la seguridad alimentaria de la región también depende de agricultores como tú.

Andrés: Sí, lo sé. La tierra es nuestra vida y hay que cuidarla.

Daniela: Exacto. Y con las mejoras que implementemos, podrás enfrentar los retos que se te presenten. ¿Qué opinas?

Andrés: Opino que es hora de poner manos a la obra. No quiero ver mi finca en la paila.

Daniela: (sonríe) Esa es la actitud, Andrés. Juntos podemos hacer que estas raíces sean más fuertes y resilientes.

Los dos continúan trabajando en la finca, unidos por el deseo de superar los desafíos y hacer prosperar la tierra que ha sido el sustento de Andrés y su familia durante generaciones.

Vocabulario:

1. **Finca:** Propiedad rural, especialmente dedicada a la agricultura.
2. **Ingeniera agrónoma:** Profesional especializada en ingeniería agronómica.
3. **Asesoramiento:** Orientación o consejo proporcionado por un experto.
4. **Parce:** Término coloquial para referirse a un amigo o compañero.
5. **Jugar una mala pasada:** Engañar o causar problemas de manera inesperada.

6. **Tener pelao:** Estar en problemas o ser desafortunado.
7. **Paila:** Problema o situación complicada.
8. **Pa':** Contracción de "para" utilizada coloquialmente en algunas regiones.
9. **Rentable:** Que genera beneficios o ganancias.
10. **Consciente:** Estar al tanto o ser consciente de algo.
11. **Berraquera:** Determinación, valentía o fortaleza.
12. **Implementar:** Poner en práctica o llevar a cabo.
13. **Manos a la obra:** Comenzar a trabajar en algo de inmediato.

Preguntas de elección múltiple

Selecciona la alternativa correcta:

1. ¿Qué desafíos enfrenta Andrés en su finca de plátanos?

a) Problemas de salud
b) Desafíos climáticos y económicos
c) Falta de espacio para cultivar
d) Conflictos familiares

2. ¿Qué sugiere Daniela para combatir la falta de lluvia en la finca?

a) Implementar sistemas de riego eficientes
b) Abandonar el cultivo de plátanos
c) Esperar a que mejoren las condiciones climáticas
d) Vender la finca

3. ¿Qué dice Andrés sobre la situación de las ventas de sus plátanos?

a) Los plátanos están verdes
b) Los intermediarios se llevan la mejor parte
c) No hay demanda de plátanos
d) La competencia es débil

4. ¿Cuál es una de las estrategias propuestas por Daniela para mejorar la situación de Andrés en el mercado local?

a) Reducir la producción de plátanos

b) Certificar la finca como patrimonio histórico
c) Organizar ferias locales y establecer contactos directos
d) Dejar la agricultura y buscar otra profesión

5. ¿Cuál es la actitud final de Andrés hacia los cambios propuestos por Daniela?

a) Desinteresado
b) Deseoso de mejorar
c) Pesimista
d) Resistente al cambio

5. PASEO EN AUTOBÚS

En la carretera Panamericana, Jorge, un experimentado conductor de autobús intermunicipal, narra sus vivencias mientras lleva a los pasajeros de un pueblo a otro. La escena se desarrolla en la terminal de autobuses de una pequeña localidad llamada Guasca, donde los pasajeros esperan para abordar. Jorge, con su uniforme y sombrero característico, charla con Mónica, una pasajera habitual que siempre tiene historias que contar.

Jorge: ¡Hola, Mónica! ¿Lista para otro viaje en buseta?

Mónica: ¡Hola, Jorge! Siempre lista para tus historias y para llegar a casa.

Jorge y Mónica se saludan con un apretón de manos mientras los demás pasajeros esperan.

Mónica: ¿Qué nueva historia tienes hoy, Jorge?

Jorge: Pues, el otro día, en uno de mis viajes, me encontré con un compa que me contó chismes de todo el pueblo. Dijo que un parcero se metió con la novia del dueño del mercado.

Mónica: ¡Ay, Jorge! ¡No me digas que te metes en esos chismes!

Jorge: ¡Para nada, Mónica! Solo escucho. Pero sí te digo, este pueblo tiene más chismes que una telenovela.

Mónica: Eso sí es verdad.

Continúan conversando cuando, de repente, Mónica cambia el rumbo de la conversación.

Mónica: Hablemos de algo más serio. ¿Cómo ha afectado la situación del país a tus viajes?

Jorge: Ha sido duro, Mónica. Las protestas y bloqueos en la carretera han hecho que los viajes sean más largos y complicados. A veces, no sabes si podrás llegar a tiempo.

Mónica: Es una jartera para todos. Pero, a pesar de todo, aquí estamos, yendo a casa.

Jorge: ¡Claro! Uno se acostumbra a lidiar con lo que venga. Pero a veces, los pasajeros se molestan y me echan la culpa como si yo pudiera controlar todo.

Mónica: Debe ser frustrante.

Jorge: Mucho. Pero uno aprende a sobrellevarlo. La gente necesita entender que también somos afectados por lo que pasa en el país.

Mónica: Y, ¿cómo haces para lidiar con los pasajeros molestos?

Jorge: Les cuento chistes, les hablo de la vida, les comparto historias. Al final, es parte del trabajo. Pero siempre hay algún enojón que no entiende.

La carretera Panamericana se extiende frente a la buseta, con las montañas y la vegetación característica de Colombia.

Mónica: (mirando por la ventana) Es increíble cómo la carretera nos lleva a tantos lugares.

Jorge: Sí, Mónica. A veces, parece que la carretera tiene vida propia. Nos lleva a lo inesperado.

Mónica: ¿Alguna historia interesante que te haya pasado últimamente?

Jorge: Hace poco, un pasajero dejó olvidado un sombrero muy elegante. Después de mucho tiempo, lo devolví a la terminal de donde salió. Resulta que era del alcalde de un pueblo cercano.

Mónica: ¡No me digas! ¿Y qué pasó?

Jorge: Pues, el alcalde me invitó a un almuerzo como agradecimiento. Resulta que es un tipo muy bacano.

Mónica: ¡Qué buena historia! Y todo por un sombrero.

Jorge: Así es, Mónica. La vida te da sorpresas.

Los pasajeros continúan escuchando las historias de Jorge mientras el autobús avanza por la carretera. Mónica y Jorge conversan animadamente, compartiendo risas y reflexiones sobre la vida y el país.

Vocabulario:

1. **Carretera:** Vía de comunicación para vehículos entre ciudades o pueblos.
2. **La terminal:** Estación de transporte público, especialmente de buses.
3. **Sombrero:** Prenda de vestir que cubre la cabeza.
4. **Buseta:** Autobús pequeño utilizado para el transporte público.

5. **Apretón de manos:** Saludo que implica agarrar y apretar la mano de otra persona.
6. **Compa:** Término coloquial para referirse a un amigo o compañero.
7. **Chismes:** Información o rumores sobre la vida personal de otras personas.
8. **Protestas:** Manifestaciones públicas de desacuerdo o inconformidad.
9. **Jartera:** Cansancio o aburrimiento extremo.
10. **Sobrellevarlo:** Afrontar o llevar una carga emocional o física.
11. **Enojón:** Persona propensa a enojarse fácilmente.
12. **Inesperado:** Que ocurre de manera sorpresiva.
13. **Bacano:** Algo que es genial o admirable.

Preguntas de elección múltiple

Selecciona la alternativa correcta:

1. ¿Dónde se desarrolla la historia?

a) Bogotá
b) Medellín
c) Guasca
d) Cali

2. ¿Qué palabra colombiana se utiliza en la historia para referirse a un autobús intermunicipal?

a) Clete
b) Buseta
c) Ruta
d) Colectivo

3. ¿Cómo afecta la situación del país a los viajes de Jorge?

a) Los hace más cortos
b) Los complica y alarga
c) No afecta en nada

d) Los vuelve más divertidos

4. ¿Cómo lidia Jorge con los pasajeros molestos?

a) Les cuenta chismes del pueblo
b) Les echa la culpa a los bloqueos
c) Les habla de la vida y les cuenta chistes
d) Ignora sus quejas

5. ¿Qué sorpresa lleva a Jorge a ser invitado a un almuerzo por el alcalde?

a) Devolver una cartera olvidada
b) Contar chistes a los pasajeros
c) Encontrar un sombrero olvidado
d) Resolver un bloqueo en la carretera

6. EL VOLUNTARIADO

En las afueras de Cartagena, Colombia, Ángel, un joven voluntario comprometido con la comunidad, se encuentra trabajando en proyectos para abordar la pobreza y la falta de acceso a la educación. Romina, una residente local, se acerca para conversar sobre los cambios que han experimentado en la comunidad. La escena se desarrolla en una pequeña plaza donde los niños juegan y los adultos participan en actividades comunitarias.

Ángel: ¡Hola, Romina! ¿Cómo va todo por aquí?

Romina: ¡Hola, Ángel! Gracias a Dios, hemos tenido algunos cambios gracias a tus proyectos.

Ángel: ¡Es una chimba, me alegra escuchar eso! Pero aún hay mucho por hacer.

Romina: Sí, pero la escuela que construyeron ha sido genial para los niños. Ahora tienen un lugar decente para estudiar.

Ángel: Eso me llena de alegría. La educación es la semilla que puede cambiarlo todo.

Romina: Además, los talleres que organizan han dado a la gente nuevas habilidades. Mi esposo aprendió a reparar bicicletas y ahora tiene su propio taller.

Ángel: ¡Eso es genial! Los talleres están pensados para empoderar a la comunidad.

En la plaza, algunos niños juegan con una pelota improvisada mientras otros observan las actividades comunitarias.

Romina: Y lo del comedor comunitario ha sido una bendición, Ángel. Muchas familias han dejado de pasar hambre.

Ángel: La falta de acceso a alimentos es un problema que nadie debería enfrentar. Estamos tratando de asegurarnos de que todos tengan algo en el plato.

Romina: Gracias a Dios por personas como tú, Ángel. Antes, éramos como sardinos apretados en la lata, pero ahora hay más esperanza.

Ángel: No es solo mi trabajo, Romina. Es un esfuerzo conjunto de la comunidad.

Romina señala hacia un mural colorido que adorna una pared cercana.

Romina: Y ese mural, ¿también es parte de tu proyecto?

Ángel: Sí, lo pintamos con los niños y algunos artistas locales. Queríamos darle vida y color a la plaza.

Romina: ¡Me encanta! Los niños lo disfrutan mucho.

Ángel: Y eso es lo más importante. Queremos que este lugar sea un espacio donde los niños puedan crecer, aprender y soñar.

En ese momento, un grupo de niños se acerca a Ángel y Romina.

Niño 1: ¡Ángel, Ángel! ¿Hoy hay taller de arte?

Ángel: ¡Claro, parcerito! Vamos a preparar los materiales. ¿Quién más se apunta?

Niño 2: ¡Yo, yo!

Romina observa con una sonrisa mientras Ángel organiza el taller con entusiasmo

Romina: Realmente has logrado mucho aquí, Ángel.

Ángel: Gracias, Romina. Pero siempre hay más por hacer. Queremos construir una biblioteca y mejorar las instalaciones deportivas para los jóvenes.

Romina: ¡Eso suena maravilloso! Cada cambio es como una semilla que crece y se convierte en algo hermoso.

Ángel: Exacto, Romina. Y tú también formas parte de esto. La comunidad es fuerte cuando todos trabajamos juntos.

Romina y Ángel continúan conversando mientras los niños se suman al taller de arte. La plaza está llena de vida y risas, mostrando cómo el servicio social puede sembrar esperanza y transformar comunidades enteras.

Vocabulario:

1. **Abordar:** Aproximarse o tratar un tema o situación.
2. **Residente:** Persona que vive en un lugar específico.
3. **Chimba:** Expresión que puede referirse a algo bueno, atractivo o desafiante.
4. **Empoderar:** Otorgar poder o autoridad a alguien.

5. **Apretados:** Situación en la que hay poco espacio.
6. **Lata:** Depósito circular de metal.
7. **Mural:** Obra de arte pintada en una pared u otra superficie.
8. **Taller:** Espacio donde se lleva a cabo trabajo manual o artístico.
9. **Instalaciones:** Espacios físicos y estructuras utilizadas para un propósito específico.
10. **Se suman:** Contribuir o unirse a algo.

Preguntas de elección múltiple

Selecciona la alternativa correcta:

1. ¿Dónde se desarrolla la historia?

a) Medellín
b) Cali
c) Cartagena
d) Bogotá

2. ¿Qué habilidad aprendió el esposo de Romina gracias a los talleres?

a) Cocinar
b) Reparar bicicletas
c) Pintar
d) Bailar salsa

3. ¿Qué cambio positivo menciona Romina sobre la comunidad?

a) Mayor congestión en la plaza
b) Más acceso a alimentos
c) Disminución de talleres
d) Menos esperanza en la educación

4. ¿Qué objetivo comunitario menciona Ángel para el futuro?

a) Construir un cine
b) Mejorar las instalaciones deportivas
c) Abrir un parque temático

d) Organizar conciertos semanales

5. ¿Qué actividad están esperando los niños al final de la historia?

a) Taller de cocina
b) Taller de música
c) Taller de arte
d) Taller de ciencias

7. EL RECOLECTOR DE CAFÉ

La historia se desarrolla en una pequeña finca cafetera ubicada en las verdes montañas de Risaralda, Colombia. Alejandro, un experimentado recolector de café, comparte sus vivencias con Laura, una periodista interesada en conocer la realidad de los trabajadores del campo. El aroma a café fresco llena el aire, y se escuchan los sonidos de la naturaleza en el fondo. Alejandro, con manos curtidas y un sombrero de ala ancha, se sienta frente a ella.

Laura: Alejandro, cuéntame más sobre tu trabajo en la cosecha de café. ¿Cómo afecta tu vida?

Alejandro: Ay, señorita Laura, el café es vida para nosotros. Desde que sale el sol hasta que se esconde, estamos en el cafetal. La temporada de cosecha, esa sí que marca el ritmo de nuestras vidas.

Laura: ¿Cómo es eso?

Alejandro: Verá, cuando empieza la temporada, nos levantamos con el gallo, antes de que el sol se asome. No hay tiempo para flojeras. Las manos se nos ponen como piedra de tanto coger granos, pero eso es la realidad de ser caficultor.

Laura: ¿Y cómo impacta eso en su día a día?

Alejandro: Pues, mire, en la cosecha todo cambia. No hay descanso. Las horas se estiran como una loma sin final. Y la plata que ganamos en esa época es lo que nos sostiene durante el resto del año.

Laura: Ya veo.

Alejandro: Es cuando más se siente el peso del trabajo, pero también es cuando más se agradece el fruto de la tierra.

Laura: ¿Y cómo ven ustedes el impacto del café en la economía colombiana?

Alejandro: El café es el oro negro de Colombia, señorita. Lo que recogemos aquí, en estas laderas, va a parar a tazas de todo el mundo. Es un orgullo, pero también hay que decir que el precio a veces no es justo.

Laura: ¿Cómo se llevan con la incertidumbre de los precios?

Alejandro: Eso es lo que más duele, señorita Laura. Uno nunca sabe si el próximo año va a ser bueno o malo en términos de precios. Y ahí estamos, jugándonosla con la cosecha. Pero lo que sí sé es que este café es de calidad, y deberíamos recibir lo justo por ello.

Laura: ¿Qué cambiaría para mejorar la situación de los

caficultores?

Alejandro: Necesitamos más apoyo, más respaldo. Los gobiernos hablan mucho, pero a veces parece que nos olvidan. Menos trámites, más ayuda real. Que se valore nuestro esfuerzo y no se quede solo en discursos bonitos.

Laura: ¿Y cómo ve el futuro de la caficultura en Colombia?

Alejandro: Somos cafeteros de corazón, señorita. El café corre por nuestras venas. A pesar de las dificultades, siempre vamos a seguir cultivando esta tierra. Pero necesitamos que se nos reconozca, que se nos respalde. El futuro será lo que nosotros hagamos de él.

Laura: Entiendo, Alejandro. Gracias por compartir su historia.

Alejandro: Gracias a usted, señorita Laura, por escucharnos. El café es nuestra vida, y siempre estaremos aquí, en las montañas de Risaralda, luchando por un mejor mañana.

La entrevista revela la dura realidad de los caficultores en Colombia, destacando la importancia de su trabajo en la economía y la necesidad de un mayor apoyo y reconocimiento. La esperanza y el compromiso de Alejandro reflejan en los trabajadores del campo en busca de un futuro más justo.

Vocabulario:

1. **Vivencia:** Experiencia de vida.
2. **Manos curtidas:** Manos endurecidas por el trabajo manual.
3. **Sombrero de ala ancha:** Tipo de sombrero con alas anchas.
4. **Cafetal:** Plantación de café.
5. **Levantarse con el gallo:** Levantarse temprano en la mañana.
6. **Flojera:** Falta de energía o disposición para hacer algo.
7. **Caficultor:** Persona dedicada al cultivo de café.
8. **Loma:** Elevación del terreno.
9. **Oro negro:** Término coloquial para referirse al petróleo.
10. **Laderas:** Costados de una montaña o colina.
11. **Incertidumbre:** Falta de certeza o seguridad.

12. **Corre por nuestras venas:** Parte integral de nuestra identidad o cultura.

Preguntas de elección múltiple

Selecciona la alternativa correcta:

1. ¿Dónde se desarrolla la historia de Alejandro y Laura?

a) Medellín
b) Risaralda
c) Cali
d) Bogotá

2. ¿Qué actividad despierta a los trabajadores del campo durante la temporada de cosecha según Alejandro?

a) Cocinar
b) Cosechar café
c) Descansar
d) Bailar

3. ¿Cómo describe Alejandro sobre la temporada de cosecha?

a) Tiempo de descanso
b) Ritmo relajado
c) Marcador de sus vidas
d) Época de vacaciones

4. ¿Cómo se refiere Alejandro al café en términos económicos?

a) Oro negro de Colombia
b) Diamante blanco de Colombia
c) Plata líquida de Colombia
d) Bronce aromático de Colombia

5. ¿Qué solicita Alejandro para mejorar la situación de los caficultores?

a) Más trámites
b) Menos apoyo

c) Más respaldo
d) Menos reconocimiento

8. EL ARTISTA CALLEJERO

Las calles de Bogotá servían de lienzo para Fernando, un artista callejero que con sus aerosoles y pinceles transformaba muros grises en obras de arte cargadas de mensajes sociales y políticos. Esperanza, una joven estudiante de periodismo, se encontraba fascinada por su trabajo y su valentía. En un callejón del centro de la ciudad, Fernando daba los últimos toques a un mural que denunciaba la corrupción política.

Esperanza: Me encanta tu trabajo, Fernando. Tus murales son como un grito en la pared, una forma de despertar conciencias.

Fernando: Gracias, Esperanza. Es importante que el arte tenga un mensaje, que no sea solo decoración. Hay que usar el talento para hablar por los que no tienen voz.

La fama de Fernando crecía como la espuma. Sus murales aparecían por toda la ciudad, generando reacciones encontradas. Algunos los aplaudían, considerándolos una forma de expresión legítima, mientras que otros los criticaban, tildándolos de vandalismo.

Un hombre trajeado: ¡Esto es un insulto! ¡No se puede permitir que estos gamines manchen las paredes de la ciudad!

Una mujer joven: ¡Por fin alguien que dice las cosas como son! Este arte callejero es una plaga.

Fernando: ¡Mienten! Es una forma de expresión.

Un día, mientras Fernando pintaba un mural sobre la violencia de género, fue interceptado por la policía.

Policía: ¡Alto ahí! Queda usted detenido por vandalismo.

Fernando: ¡Pero esto es arte! ¡Estoy expresando mi opinión!

Policía: No me importa lo que sea. No tiene permiso para pintar en esta pared.

Esperanza, al enterarse de la detención de Fernando, se movilizó para ayudarlo. Convocó a través de las redes sociales a una protesta pacífica en apoyo al artista.

Esperanza: ¡No podemos permitir que los tombos callen la voz de Fernando! Su arte es una expresión legítima del sentir del pueblo.

Manifestante 1: ¡El arte callejero es cultura, no crimen!

Manifestante 2: ¡Libertad para Fernando!

Manifestante 3: ¡Saquen a Fernando ya de esa carceleta!

Fernando fue liberado y se le permitió continuar con su trabajo, siempre que obtuviera los permisos correspondientes. Su arte se convirtió en un símbolo de la lucha por la libertad de expresión y un referente para las nuevas generaciones de artistas urbanos.

Fernando: Gracias a todos por su apoyo. Esto demuestra que el arte tiene poder, que puede cambiar las cosas.

Esperanza: Tu trabajo ha inspirado a muchos, Fernando. Nos has enseñado que el arte es una herramienta para transformar el mundo.

Los murales de Fernando se convirtieron en parte del paisaje urbano de Bogotá, recordándole a la sociedad que el arte también denuncia, cuestiona y transforma. Su legado inspiró a otros artistas a usar su talento para expresar sus ideas y luchar por un mundo mejor.

Vocabulario:

1. **Muros:** Estructuras verticales que dividen o rodean un espacio.
2. **Callejón:** Pasaje estrecho entre edificios o terrenos.
3. **Últimos toques:** Detalles finales o ajustes.
4. **Crecer como la espuma:** Desarrollarse rápidamente o aumentar en tamaño.
5. **Tildándolos:** Etiquetándolos o caracterizándolos de cierta manera.
6. **Gamines:** Niños de la calle.
7. **Manchen:** Enloden o ensucien.
8. **Interceptado:** Detenido o detenida por autoridades.
9. **Convocó:** Llamar a reunirse.
10. **Tombos:** Término coloquial para referirse a la policía.
11. **Carceleta**: Cárcel o prisión.

Preguntas de elección múltiple

Selecciona la alternativa correcta:

1. ¿Qué transformaba Fernando con sus aerosoles y pinceles en

Bogotá?

a) Ríos
b) Paredes grises
c) Edificios antiguos
d) Parques

2. ¿Qué mensaje transmitía el mural por el cual Fernando fue detenido?

a) Sobre la corrupción política
b) Sobre la importancia del periodismo
c) Sobre la violencia de género
d) Sobre la libertad de expresión

3. ¿Cómo reaccionaba la sociedad ante los murales de Fernando?

a) Siempre los aplaudían
b) Siempre los criticaban
c) Generaban reacciones encontradas
d) No les prestaban atención

4. ¿Por qué fue detenido Fernando según la policía?

a) Por robo
b) Por vandalismo
c) Por violencia de género
d) Por falta de talento

5. ¿Qué hizo Esperanza para ayudar a Fernando?

a) Organizó una protesta pacífica
b) Escribió un artículo en un periódico
c) Ignoró la situación
d) Pidió más permisos para Fernando

9. FÚTBOL AFICIONADO

En la vereda La Esperanza, un pequeño pueblo colombiano, Miguel y Lucía se preparaban para un nuevo desafío: el torneo de fútbol aficionado. Miguel, con su camiseta roja desteñida y botas embarradas, daba indicaciones a sus compañeros. Lucía, la capitana del equipo, observaba atentamente, lista para entrar al campo.

Miguel: ¡Muchachos, vamos a darle con todo! Hoy nos jugamos el honor de La Esperanza.

Juancho: ¡Tranquilo, mijo! Estos manes no nos van a ganar.

Pedro: ¡Eso sí! Tenemos que meterles más goles que a una piñata.

Lucía: ¡Bien dicho, Pedro! Salgamos a la cancha con garra y corazón. ¡Somos el Once de la Vereda y vamos a dejar el nombre en alto!

El partido comenzó con un buen ritmo. El Once de la Vereda dominaba el juego, pero el equipo rival no se rendía. Miguel, con su habilidad, regateaba a los defensas como si fueran conos.

Doña Carmen: ¡Vamos, mija Lucía! ¡Dele duro a esos pelaos!

Don José: ¡Ese es mi muchacho, Miguel! ¡Métele un golazo!

La tensión crecía con cada minuto que pasaba. El marcador estaba empatado y el tiempo se agotaba. De repente, Miguel recibió un pase en profundidad y se lanzó en una carrera imparable hacia el arco rival.

Persona 1: ¡Vamos Miguel, confiamos en ti!

Persona 2: ¡Vamos por ese golazo!

Tribuna: ¡Goooooool!

El partido finalizó con la victoria del Once de la Vereda. Los jugadores se abrazaban entre sí, empapados de sudor y alegría. Miguel, con los ojos llenos de lágrimas, levantó la copa de campeón. Lucía, a su lado, sonreía con orgullo.

Miguel: ¡Lo logramos! ¡Somos los campeones!

Lucía: ¡Gracias a todos por su esfuerzo! Este triunfo es de la vereda La Esperanza.

La noche llegó a La Esperanza, pero la celebración no se detenía. En la plaza del pueblo, se improvisó una fiesta con música, baile y comida criolla. Los jugadores del Once de la Vereda eran los héroes del momento, recibiendo felicitaciones y abrazos de sus vecinos.

Don Alberto: ¡Estos muchachos son un orgullo para la vereda!

Doña María: ¡El fútbol nos une y nos hace sentir orgullosos de ser de La Esperanza!

Lucía: Muchas gracias por todo su apoyo, es muy chimba sentir que logramos algo.

Miguel: ¡Estamos preparados para seguir cosechando más logros!

El Once de la Vereda no solo ganó un torneo de fútbol. Demostró que la pasión por el deporte puede unir a una comunidad y crear un sentimiento de identidad y pertenencia.

Vocabulario:

1. **Vereda:** Pequeña comunidad rural.
2. **Desteñidas:** Perdida de color, generalmente aplicado a telas.
3. **Botas:** Calzado que cubre el pie y parte de la pierna.
4. **Darle con todo:** Esforzarse al máximo.
5. **Mijo:** Expresión cariñosa para referirse a alguien, similar a "mi hijo".
6. **Manes:** Término coloquial para referirse a un grupo de personas.
7. **Piñata:** Objeto decorado lleno de dulces que se rompe en celebraciones.
8. **Con garra:** Con determinación y esfuerzo.
9. **Regateaba:** Técnica de evasión de un jugador para superar a un oponente.
10. **Conos:** Barreras de tráfico cónicas.
11. **Pelaos:** Jóvenes o niños.
12. **Muchacho:** Joven o chico.
13. **Comida criolla:** Comida típica de la región o país.
14. **Improviso:** Hacer algo sin preparación previa.

Preguntas de elección múltiple

Selecciona la alternativa correcta:

1. ¿Quién es la capitana del equipo en la historia?

a) Miguel
b) Juancho
c) Lucía
d) Pedro

2. ¿Cómo describe el narrador la camiseta de Miguel?

a) Verde y desgastada
b) Azul y nueva
c) Roja y desteñida
d) Negra y brillante

3. ¿Cuál es el nombre del pueblo donde se desarrolla la historia?

a) La Plaza
b) La Esperanza
c) La Vereda
d) La Celebración

4. ¿Qué hizo Miguel durante el partido que se destaca en la historia?

a) Dio indicaciones a sus compañeros
b) Observó atentamente desde la tribuna
c) Regateó a los defensas con habilidad
d) Organizó una fiesta en la plaza

5. ¿Qué logró el Once de la Vereda al final del torneo?

a) Ganaron un partido
b) Levantaron la copa de campeones
c) Perdieron ante el equipo rival
d) Abandonaron la competición

10. LA MAESTRA

Patricia, una joven maestra llega a la comunidad indígena de El Remanso, ubicada en la profundidad de la selva colombiana. Su compromiso con la educación la impulsa a enfrentar los desafíos de enseñar en una escuela rural con escasos recursos. Patricia, con su vestido floreado y un sombrero de paja para protegerse del sol, se encuentra frente a un grupo de niños indígenas que la miran con curiosidad.

Patricia: ¡Buenos días, niños! ¿Cómo están hoy?

Niños: (En coro) ¡Buenos días, profe!

Patricia: ¡Me alegra mucho verlos! Hoy vamos a aprender cosas nuevas. ¿Están preparados?

Niños: ¡Síií!

Patricia: ¡Excelente! Primero, vamos a repasar las letras del abecedario.

Patricia comienza a escribir las letras en la pizarra, usando una tiza que se desmorona entre sus dedos. Los niños la siguen con atención, algunos repitiendo las letras en voz baja.

Niño 1: ¡Profe, yo ya sé las letras!

Patricia: ¡Qué bacano! ¿Puedes decirme la letra que sigue después de la "M"?

Niño 1: La "N".

Patricia: ¡Correcto! ¿Y después de la "N"?

Niño 1: La "Ñ".

Patricia: ¡Excelente! Me alegra que estés aprendiendo.

Patricia continúa la clase, enseñando a los niños a leer y escribir palabras sencillas. Usa materiales naturales como hojas, ramas y piedras para crear juegos educativos.

Niño 2: Profe, ¿y cuándo vamos a aprender a usar el computador?

Patricia: Me encantaría enseñarles a usar el computador, pero por ahora no tenemos uno en la escuela.

Niño 2: ¡Qué raye!

Patricia: Pero no se bajoneen, hay muchas otras cosas que podemos aprender. Les puedo enseñar sobre la naturaleza, sobre las culturas indígenas, sobre la importancia de cuidar el medio ambiente.

Niños: ¡Nos pondremos las pilas todos!

Patricia: Lo importante es que sigan aprendiendo y nunca dejen de tener curiosidad por el mundo.

Niños: ¡Sí, profe!

Al final del día, Patricia se despide de sus alumnos con un fuerte abrazo. A pesar de las dificultades, siente la satisfacción de estar haciendo una diferencia en la vida de estos niños.

Vocabulario:

1. **Sombrero de paja:** Tipo de sombrero hecho de paja.
2. **Profe:** Forma coloquial de referirse a un profesor.
3. **Abecedario:** Serie de letras en orden alfabético.
4. **Tiza:** Utensilio para escribir en pizarras.
5. **Desmorona:** Deshacerse o caerse en pedazos.
6. **Computador:** Término utilizado en algunos lugares para referirse a la computadora.
7. **¡Qué raye!:** Expresión de asombro o incredulidad.
8. **Bajoneen:** Deprimirse o sentirse desanimado.
9. **Ponerse las pilas:** Ponerse en acción o esforzarse más.

Preguntas de elección múltiple

Selecciona la alternativa correcta:

1. ¿Dónde se encuentra la comunidad indígena de El Remanso?

a) En la ciudad
b) En la selva colombiana
c) En la playa
d) En las montañas

2. ¿Cómo se viste Patricia en su primer día en la escuela?

a) Con un vestido negro
b) Con un sombrero de paja
c) Con una camiseta roja
d) Con pantalones vaqueros

3. ¿Qué material utiliza Patricia para escribir en la pizarra?

a) Pluma
b) Lápiz
c) Tiza
d) Bolígrafo

4. ¿Qué pregunta el niño 1 sobre el abecedario?

a) ¿Cuántas letras tiene el abecedario?
b) ¿Puedo ir al baño?
c) ¿Qué letra sigue después de la "M"?
d) ¿Podemos jugar afuera?

5. ¿Cuál es la respuesta de Patricia cuando el niño 2 pregunta sobre aprender a usar el computador?

a) "Vamos a aprenderlo pronto"
b) "No tenemos uno en la escuela por ahora"
c) "Eso no es importante"
d) "Ya saben usarlo"

11. EMPRENDIMIENTO EN MEDELLÍN

Fernando, un joven paisa de 25 años, con sueños de grandeza y una mente inquieta, se embarca en la aventura de crear su propia empresa de software en Medellín. Su ciudad natal es un campo de batalla para los emprendedores, donde la competencia es feroz y los recursos escasos.

Fernando: (Pasa la mano por su frente sudorosa, mientras observa la pantalla del computador llena de código) ¡Este algoritmo me tiene frito! Llevo horas intentando que funcione y nada.

Elena: Tranquilo, Fer, no te exijas tanto. Roma no se construyó en un día.

Fernando: Lo sé, pero es que… la competencia está pisándonos los talones. Si no lanzamos nuestro software pronto, nos van a comer vivos.

Elena: Tienes razón, pero no podemos salir con un producto a medias. Hay que asegurarnos de que sea perfecto.

Fernando: Tienes razón. Además, todavía nos falta el tema de la financiación. No podemos seguir viviendo de ahorros.

Elena: No te preocupes, yo me estoy moviendo con algunos inversionistas. Tengo una cita la próxima semana con un tipo que parece interesado.

Fernando: ¡Excelente! Ojalá que se concrete, mientras tanto, seguiré camellando en el prototipo.

Elena: Confía en mí, Fer. Esta jugada la vamos a ganar, sigamos pa'delante.

Días después, se encuentran en una reunión con un potencial inversionista.

Inversionista: (Observa con detenimiento el prototipo del software) Interesante, muy interesante. Me gusta la idea, tiene potencial.

Fernando: Como puede ver, nuestro software es único en el mercado. Ofrece una solución innovadora a los problemas que enfrentan las empresas en la actualidad.

Inversionista: Veo que han trabajado duro. Sin embargo, hay algunos aspectos que me preocupan. La competencia en este sector es muy fuerte y todavía no tienen un historial probado.

Elena: Somos conscientes de los desafíos, pero estamos seguros de nuestro producto y de nuestro equipo. Tenemos la experiencia y la determinación para tener éxito.

Inversionista: Me convencen. Estoy dispuesto a invertir en su empresa.

Fernando y Elena: ¡Muchas gracias!

Meses después, se hará oficial el lanzamiento oficial del software en un evento en Plaza Mayor.

Fernando: Buenas noches a todos. Para nosotros es un placer presentarles nuestro nuevo software, una herramienta que revolucionará la forma en que las empresas hacen negocios.

Elena: (Hace una demostración del software) Como pueden ver, nuestro software es fácil de usar y ofrece una amplia gama de funciones que se adaptan a las necesidades de cualquier empresa.

Las horas pasan, los amigos y socios ahora se encuentran en una reunión privada.

Fernando: No puedo creer lo lejos que hemos llegado.

Elena: Te lo dije, Fer. Solo era cuestión de tiempo y esfuerzo.

Fernando: (Se dirige al equipo) Brindemos por esto, por nuestro trabajo, por nuestra empresa. ¡Salud!

Todos: ¡Salud!

Vocabulario:

1. **Paisa:** Persona originaria de la región de Antioquia, Colombia.
2. **Me tiene frito:** Estar cansado o molesto por algo o alguien.
3. **Roma no se construyó en un día:** Expresión que destaca la necesidad de tiempo para lograr algo grande.
4. **Pisándonos los talones:** Estar cerca de alcanzar a alguien o algo.
5. **Nos van a comer vivos:** Estar en una situación difícil o amenazante.

6. **A medias:** De manera incompleta o parcial.
7. **Camellando:** Trabajando arduamente o esforzándose.
8. **Pa'delante:** Adelante o hacia adelante.
9. **Convencen:** Persuadir o lograr que alguien acepte algo.
10. **Gama:** Rango o variedad de opciones.
11. **Brindemos:** Hacer un brindis, generalmente con bebidas.

Preguntas de elección múltiple

Selecciona la alternativa correcta:

1. ¿Cuál es la ciudad natal de Fernando?

a) Roma
b) Medellín
c) Bogotá
d) Barcelona

2. ¿Qué dificultad enfrenta Fernando con el software que está desarrollando?

a) Falta de interés de los inversionistas
b) Problemas de financiación
c) Dificultades con un algoritmo
d) Competencia feroz en el mercado

3. ¿Cuál es el papel de Elena en la empresa de Fernando?

a) Desarrolladora de software
b) Inversionista
c) Gerente de marketing
d) Coordinadora

4. ¿Qué aspecto preocupa al inversionista durante la reunión?

a) La falta de experiencia del equipo
b) La competencia en el sector
c) La ubicación de la empresa
d) El historial probado del software

5. ¿Dónde se llevará a cabo el lanzamiento oficial del software?

a) En Plaza Mayor
b) En un restaurante
c) En la oficina de la empresa
d) En la casa de Fernando

12. EN EL BARRIO DE CALI

Cali, Colombia. Un barrio popular vibrante y lleno de vida. Los aromas a café recién hecho se mezclan con el bullicio de la mañana. En un pequeño parque, bajo la sombra de un árbol de mango, se reúnen tres amigos inseparables: Cristina, Juan y Giselle.

Cristina: ¡Buenos días, parceros! ¿Ya desayunaron?

Juan: ¡Buenos días, Cris! Apenas me levantaba. ¿Trajiste mangos? ¡Qué rico!

Giselle: ¡Hola, vecinos! ¿Y ese olor a pandebono tan delicioso?

Cristina: (Ríe) ¡Adivinaron! Mi mamá preparó una tanda para el desayuno. ¿Quieren un poco?

Juan: ¡Yo sí, por favor! Me muero de hambre.

Giselle: ¡Yo también! Y un cafecito para acompañarlo.

Cristina: ¡Listo!

Juan: (Mordiendo un pandebono) ¡Uff, qué rico! Tu mamá cocina como los dioses.

Giselle: ¡Y este café está perfecto! Me ayuda después de la trasnochada.

Cristina: ¿Y a qué hora llegaste anoche? ¿Te fue bien en la rumba?

Giselle: ¡Sí, estuvo chévere! Bailamos hasta que nos dolieron los pies. Pero hoy tengo que madrugar para ir al mercado.

Juan: ¿Y qué vas a vender hoy?

Giselle: De todo un poco: frutas, verduras, especias... Lo que me traigan los campesinos.

Cristina: ¡Mucha suerte! Yo tengo que ir a la biblioteca a devolver unos libros. Luego me toca ayudar a mi mamá con la limpieza de la casa.

Juan: Y yo tengo que ir a trabajar. Me toca turno doble en el taller.

Giselle: ¡Ánimo, parceros! Que tengan un buen día.

Cristina y Juan: ¡Igualmente, Giselle!

Los tres amigos se despiden con un abrazo y se van por sus caminos separados. Más tarde, en el mercado:

Cliente: ¿Me da medio kilo de tomates, por favor?

Giselle: ¡Claro que sí! Aquí tiene.

Cliente: ¿Y tiene cilantro?

Giselle: ¡Sí, por supuesto! Aquí le tengo un manojito bien fresco.

Giselle observa a los demás vendedores del mercado. Algunos pregonan sus productos, otros conversan animadamente entre sí. En la biblioteca, Cristina iba llegando a devolver el libro.

Cristina: (Devolviendo los libros a la bibliotecaria) Buenas tardes, ¿me puede recomendar un libro sobre la historia de Cali?

Bibliotecaria: ¡Claro que sí! Aquí tiene algunos títulos que podrían interesarle.

Cristina se sienta en una mesa y comienza a leer uno de los libros. A su alrededor, otras personas estudian, leen o trabajan en silencio. En el taller, Juan está a unos minutos de tener su descanso.

Juan: ¡Este trabajo es duro, pero me gusta! Me siento orgulloso de lo que hago.

Juan se concentra en su trabajo, mientras sus compañeros de taller bromean y conversan. El taller es un lugar donde se respira camaradería y esfuerzo.

Juan: Me siento afortunado de tener estos amigos y este trabajo. La vida en Cali no es fácil, pero hay muchas cosas por las que estar agradecido.

Al final del día, los tres amigos se reúnen de nuevo en el parque.

Cristina: ¿Cómo les fue hoy?

Giselle: ¡Uf, vendí casi todo! Estoy agotada, pero contenta.

Juan: Yo también estoy cansado, pero satisfecho. Terminamos un proyecto importante en el taller.

Cristina: ¡Me alegra que les haya ido bien! Yo aprendí mucho sobre la historia de Cali. Este libro es fascinante.

Los amigos comparten sus experiencias del día mientras comen pan de Bono y toman café. La noche cae sobre el barrio, y las luces de las casas se encienden una a una.

Vocabulario:

1. **Bullicio:** Ruido o alboroto generado por varias personas.
2. **Parceros:** Término coloquial para referirse a amigos o compañeros.
3. **Pandebono:** Panecillo tradicional colombiano hecho con queso.
4. **Tanda:** Una ración de comida.
5. **Como los dioses:** Hacer algo de manera excelente o excepcional.
6. **Trasnochada:** Actividad que ocurre durante la noche o hasta altas horas de la madrugada.
7. **Rumba:** Fiesta o celebración animada.
8. **Devolver:** Regresar algo a su lugar original.
9. **Kilo:** Unidad de medida de peso equivalente a mil gramos.
10. **Cilantro:** Hierba aromática utilizada en la cocina.
11. **Manojito:** Pequeño ramo o grupo de algo.
12. **Pregonan:** Anunciar o proclamar algo públicamente.
13. **Bibliotecaria:** Persona encargada de una biblioteca.
14. **Camaradería:** Sentimiento de amistad y compañerismo.

Preguntas de elección múltiple

Selecciona la alternativa correcta:

1. ¿Dónde se desarrolla la historia?

a) Barcelona, España
b) Medellín, Colombia
c) Bogotá, Colombia
d) Cali, Colombia

2. ¿Qué aroma se mezcla en el aire en el barrio popular de Cali?

a) Aromas a mariscos
b) Aromas a pan fresco

c) Aromas a café recién hecho
d) Aromas a flores silvestres

3. ¿Qué desayunan los amigos bajo el árbol de mango?

a) Arepas
b) Pandebonos
c) Tamales
d) Empanadas

4. ¿A qué se dedica Giselle para ganarse la vida?

a) Trabaja en un taller
b) Vende frutas y verduras en el mercado
c) Es bibliotecaria
d) Es dueña de una cafetería

5. ¿Qué hace Cristina después de devolver los libros en la biblioteca?

a) Va a trabajar en el taller
b) Se va a casa a descansar
c) Lee sobre la historia de Cali
d) Va al mercado a vender productos

13. PESCANDO EN LA COSTA CARIBEÑA

La Ciénaga Grande de Santa Marta, Colombia. Un ecosistema único donde se mezclan agua dulce y salada, hogar de una gran variedad de peces y aves.

Eduardo: (Ajustando las redes) ¡Buenos días, mija! ¿Lista para otra faena?

Ángela: ¡Buenos días, tío! Siempre lista. ¿Y el pescado? ¿Hay buen pique hoy?

Eduardo: No como antes, mija. La Ciénaga ya no es la misma.

Ángela: ¿Qué pasa, tío? ¿Notaste algo extraño?

Eduardo: Sí, mija. Los peces escasean, las aguas se calientan y los turistas contaminan. La Ciénaga está maluca.

Ángela: ¡Esos jueputas turistas! No respetan nada. Arrojan basura, contaminan el agua y espantan a los peces.

Eduardo: No es solo eso, mija. El clima también ha cambiado. Las lluvias son más intensas y los veranos más secos. La Ciénaga no se recupera.

Ángela: ¡Tenemos que hacer algo, tío! No podemos permitir que la Ciénaga muera. Es nuestro hogar, el sustento de nuestras familias.

Eduardo: Tienes razón, mija. Hay que luchar por la Ciénaga. Debemos unir a la comunidad y buscar soluciones.

Ángela: ¡Yo me apunto! Podemos organizar talleres, hablar con las autoridades, crear conciencia entre los turistas. ¡Juntos podemos salvar la Ciénaga!

Eduardo: (Sonriendo) ¡Esa es la actitud, mija! La Ciénaga nos necesita. Unidos, podemos darle la batalla a la adversidad.

En las semanas siguientes, Ángela y Eduardo organizan jornadas de limpieza, siembran mangle para proteger las costas, y educan a los turistas sobre la importancia de la Ciénaga. Sin embargo, algunos pescadores se resisten al cambio y las autoridades no siempre escuchan.

Ángela: ¡Ave María! Me parece una barbaridad que no todos nos quieran apoyar, cuando el beneficio es para la comunidad.

Sin embargo, la determinación de Ángela y Eduardo contagia a la comunidad. Poco a poco, la Ciénaga comienza a recuperarse. Un día Ángela y Eduardo se sienten orgullosos de lo que han logrado. La lucha no ha terminado, pero saben que la Ciénaga está en buenas manos.

Ángela: ¡Lo logramos, tío! La Ciénaga está sanando.

Eduardo: Sí, mija. Gracias a tu esfuerzo y al de la comunidad. La Ciénaga tiene futuro.

Juntos, Ángela y Eduardo, junto a la comunidad, se convierten en guardianes de la Ciénaga Grande de Santa Marta, un ecosistema único que palpita con vida gracias a la conexión profunda entre la naturaleza y las personas.

Vocabulario:

1. **Mija:** Forma coloquial de referirse a una mujer, similar a "mi hija".
2. **Faena:** Tarea o trabajo.
3. **Pique:** Competencia o rivalidad.
4. **Escasean:** Ser escaso o limitado en cantidad.
5. **Maluca:** Situación complicada o difícil.
6. **Jueputas:** Expresión coloquial para expresar sorpresa, indignación o molestia.
7. **Arrojan:** Lanzar o tirar algo.
8. **Mangle:** Tipo de vegetación en zonas costeras.
9. **¡Ave María!:** Expresión de sorpresa o asombro.
10. **Barbaridad:** Acción o comentario inapropiado o exagerado.

Preguntas de elección múltiple

Selecciona la alternativa correcta:

1. ¿Dónde se desarrolla la historia?

a) Amazonas, Brasil
b) Ciénaga Grande de Santa Marta, Colombia
c) Delta del Orinoco, Venezuela
d) Everglades, Estados Unidos

2. ¿Qué problema enfrenta la Ciénaga Grande de Santa Marta según Eduardo?

a) Exceso de turistas

b) Escasez de lluvias
c) Cambios en el clima
d) Contaminación del aire

3. ¿Cómo reaccionan Ángela y Eduardo al notar la situación de la Ciénaga?

a) Se resignan y abandonan la pesca
b) Deciden luchar por la recuperación de la Ciénaga
c) Ignoran la problemática y continúan pescando
d) Se mudan a otro lugar más próspero

4. ¿Qué acciones toman Ángela y Eduardo para salvar la Ciénaga?

a) Organizan jornadas de limpieza y siembran mangle
b) Pescan más para compensar la escasez
c) Culpan a los turistas y piden que se vayan
d) Ignoran el problema y continúan pescando

5. ¿Qué logran Ángela y Eduardo al final de la historia?

a) La Ciénaga Grande de Santa Marta empeora
b) La comunidad se divide y no hay solución
c) La Ciénaga comienza a recuperarse
d) Renuncian a la lucha por la Ciénaga

14. EL ASPIRANTE A MÚSICO

Barranquilla, Colombia. La ciudad donde el sol brilla con intensidad y la música corre por las venas de sus habitantes. En un barrio popular, vive Miguel, un joven con un talento para la música y con el sueño de convertirse en un artista reconocido. Sin embargo, las dificultades económicas y las expectativas familiares tradicionales amenazan con apagar su llama.

Jorge: ¿Hasta cuándo vas a seguir con esa vaina de la música, mijo? Ya te he dicho que eso no da pa' comer.

Miguel: (Sin apartar la vista de su trabajo) Pero papá, yo amo la música, es lo que me apasiona.

Jorge: La pasión no llena la barriga, mijo. Necesitas un trabajo de verdad, algo que te dé un futuro.

Miguel: Pero yo quiero ser músico, papá. Quiero componer, quiero tocar en escenarios, quiero que la gente escuche mi música.

Jorge: (Suspirando) Los sueños están muy bonitos, mijo, pero la realidad es otra. Hay que ser realistas.

Miguel: Yo no voy a renunciar a mi sueño, papá. Voy a luchar por él, cueste lo que cueste.

Jorge: Está bien, mijo. Pero no quiero que me saques la piedra o me vengas a llorar cuando las cosas se pongan difíciles.

Miguel: No lo haré, papá. Te lo prometo.

Jorge: Te quiero, mijo. Solo quiero lo mejor para ti.

Miguel: Yo también te quiero, papá.

Miguel vuelve a su trabajo, con la mente llena de dudas y preocupaciones. Pronto cae la noche y Miguel se está preparando para tocar en un bar local, cómo hace todos los días.

Miguel: (pensativo) Haré todo lo que esté en mis manos para cumplir mi sueño, no me bajonearé.

Su presentación empieza, cantando covers de artistas colombianos populares. A medida que los minutos pasan, se empiezan a oír los gritos emocionados de los espectadores.

Espectador 1: (Gritando) ¡Eso sí es música! ¡Ese pelao tiene talento!

Espectador 2: ¡Tiene una voz que llega al alma!

Miguel: ¡Gracias! ¡Muchas gracias!

Al finalizar la canción, el público aplaude con entusiasmo. Miguel sabe que no está solo, que hay personas que aprecian su talento y que comparten su sueño.

Miguel: (En voz baja) Algún día, mi música se escuchará en todo el mundo. Algún día, mi sueño se hará realidad.

Vocabulario:

1. **Llama:** Chispa o espíritu, voluntad.
2. **Vaina:** Palabra coloquial que puede referirse a cualquier cosa o situación.
3. **Barriga:** Parte del cuerpo que contiene el estómago.
4. **Sacar la piedra:** Molestar o fastidiar a alguien.
5. **Covers:** Versiones de canciones interpretadas por artistas diferentes al original.

Preguntas de elección múltiple

Selecciona la alternativa correcta:

1. ¿En qué ciudad se desarrolla la historia?

a) Bogotá, Colombia
b) Medellín, Colombia
c) Barranquilla, Colombia
d) Cali, Colombia

2. ¿Cuál es el sueño de Miguel?

a) Convertirse en un empresario exitoso
b) Ser reconocido como un chef de renombre
c) Ser un artista reconocido en la música
d) Convertirse en un jugador de fútbol profesional

3. ¿Qué le dice Jorge a Miguel sobre su sueño de ser músico?

a) Lo apoya incondicionalmente
b) Le pide que sea realista y busque un trabajo estable
c) Le sugiere que combine la música con otro trabajo
d) No expresa ninguna opinión al respecto

4. ¿Cómo reacciona el público durante la presentación de Miguel en el bar?

a) Se queda en silencio
b) Abuchea al artista
c) Grita emocionado y aplaude
d) Se retira del lugar

5. ¿Qué promete Miguel a su padre sobre su sueño de ser músico?

a) No le promete nada
b) Promete renunciar a la música
c) Promete luchar por su sueño, cueste lo que cueste
d) Promete encontrar un trabajo más estable

15. LA VIDA EN UN PUEBLO DEL AMAZONAS

La comunidad indígena Yacaré habita a orillas del río Amazonas, en Colombia. Su vida gira en torno a la naturaleza, la pesca, la agricultura y la sabiduría ancestral. Sin embargo, la llegada de la tecnología y el desarrollo económico amenazan con cambiar su estilo de vida tradicional.

Emilio: (Sentado en el suelo, tallando un adorno de madera)

Oiga, señorita Isabel, ¿y pa' qué necesita tanta información sobre nuestras costumbres?

Isabel: Emilio, estoy aquí para aprender sobre su cultura y cómo viven en armonía con la naturaleza. Su conocimiento es muy valioso para mí.

Emilio: Pero las cosas están cambiando. Los jóvenes de ahora ya no están amañados a este lugar, ya no quieren saber de nuestras tradiciones. Solo les interesa el celular y la música de la ciudad.

Isabel: Es cierto que la modernidad tiene su impacto, pero también hay oportunidades para que las comunidades indígenas se beneficien del desarrollo sin perder su identidad.

Emilio: ¿Y cómo se supone que vamos a hacer eso? Si hasta el río está contaminado por las empresas petroleras.

Isabel: Precisamente, por eso es importante que ustedes alcen su voz y exijan que se respeten sus derechos y el medio ambiente. La comunidad Yacaré tiene mucho que enseñarle al mundo.

Emilio: Tiene razón, señorita. No podemos quedarnos de brazos cruzados. Debemos luchar por defender nuestro territorio y nuestras tradiciones.

Isabel: Me alegra escuchar eso, Emilio. Yo puedo ayudarles a crear conciencia sobre la importancia de la preservación del medio ambiente y la cultura indígena.

Emilio: ¿Y cómo lo haría?

Isabel: Podemos utilizar las redes sociales y las organizaciones ambientales para difundir su mensaje. También podemos camellar juntos en proyectos de desarrollo sostenible.

Emilio: ¡Eso me parece muy bien! Estoy seguro de que juntos podemos lograr mucho.

Isabel: Estoy segura de eso también, Emilio. La clave está en el diálogo, la colaboración y el respeto mutuo.

Los días pasaron y, con ayuda de Isabel, la comunidad ha empezado a transmitir su mensaje.

Emilio: (Mostrando un video en su celular a los ancianos de la comunidad) Miren, aquí está la entrevista que me hicieron en la radio sobre la importancia de proteger el río.

Anciano: ¡Muy bien, Emilio! Me alegra que estés usando la tecnología para defender nuestras tradiciones.

Isabel: Y este es el folleto que diseñamos para informar a la comunidad sobre los proyectos de desarrollo sostenible.

Mujer indígena: ¡Excelente trabajo, Isabel! Es importante que todos comprendamos la importancia de cuidar el medio ambiente.

Emilio: Gracias por su ayuda, señorita. Usted nos ha enseñado que podemos usar la modernidad para fortalecer nuestras tradiciones.

Isabel: Y ustedes me han enseñado que la sabiduría ancestral y la conexión con la naturaleza son fundamentales para el futuro del planeta.

La historia de Emilio e Isabel nos muestra que la interacción entre la vida tradicional y la modernidad puede ser positiva y enriquecedora.

Vocabulario:

1. **Orillas:** Zonas cercanas a ríos, lagos o mares.
2. **Ancestral:** Relacionado con las tradiciones o prácticas de antepasados.
3. **En torno:** Alrededor o en relación con algo.
4. **Tallando:** Trabajando en la elaboración de algo tallado.
5. **Amañados:** Que están acostumbrados a alguien o algo.
6. **Modernidad:** Características y tendencias contemporáneas.
7. **Beneficien:** Proporcionar beneficios o ventajas.
8. **Petroleras:** Empresas relacionadas con la extracción de

petróleo.

9. **De brazos cruzados:** Actitud de no hacer nada o estar pasivo.
10. **Preservación:** Acción de proteger o mantener algo en su estado original.
11. **Folleto:** Material impreso con información breve sobre un tema.

Preguntas de elección múltiple

Selecciona la alternativa correcta:

1. ¿Dónde se encuentra la comunidad indígena Yacaré?

a) En México
b) A orillas del río Amazonas en Colombia
c) En la selva del Congo
d) En Australia

2. ¿Qué preocupa a Emilio sobre la influencia de la modernidad en la comunidad Yacaré?

a) El cambio en la dieta tradicional
b) La falta de acceso a la educación
c) La pérdida de interés de los jóvenes en las tradiciones
d) La disminución de la pesca en el río

3. ¿Cómo sugiere Isabel que la comunidad Yacaré puede defender sus derechos y el medio ambiente?

a) A través de la construcción de edificios modernos
b) Utilizando las redes sociales y organizaciones ambientales
c) Ignorando los cambios y enfocándose solo en tradiciones
d) Prohibiendo la entrada de forasteros a la comunidad

4. ¿En qué proyectos específicos colaboran Emilio e Isabel para preservar la cultura y el medio ambiente?

a) Proyectos de exploración minera
b) Proyectos de desarrollo sostenible
c) Proyectos de construcción de carreteras

d) Proyectos de extracción de madera

5. ¿Cómo reacciona la comunidad Yacaré al esfuerzo de Emilio e Isabel?

a) Se oponen rotundamente a los cambios propuestos
b) Aceptan pasivamente la modernidad
c) Se muestran entusiastas y colaboran en la preservación de la cultura
d) Ignoran por completo las propuestas de Emilio e Isabel

16. EL TAXISTA

Cartagena de Indias, una ciudad colonial vibrante y caótica. El sol raja las piedras mientras el tráfico ruge. Entre el mar de taxis amarillos, Antonio, un hombre curtido por el sol y la brisa salada, conduce su destartalado Chevrolet Spark.

Antonio: ¡Taxi! ¿Pa' dónde va, mi llave?

Pedro: Al Pie de la Popa, mijo. Apure que tengo un vuelo que me espera.

Antonio: ¡Tranquilo, don Pedro! En un santiamén lo llevo.

Pedro: ¿Y cuánto cobra?

Antonio: Depende del tráfico, mi llave. Pero no se preocupe, no le voy a cobrar caro.

Pedro: ¡Menos mal! Es que estos taxistas de Cartagena son unos bandidos.

Antonio: (Ríe) No todos, mi llave. Hay de todo como en botica.

En el camino, pasajero y taxista conversan de diferentes temas.

Pedro: ¿Y usted lleva mucho tiempo manejando taxi?

Antonio: Uff, como unos 15 años, mi llave. He visto de todo en este oficio.

Pedro: ¿Y qué tal le ha ido?

Antonio: No me quejo. Hay días buenos y días malos. Pero uno se va acostumbrando a la maña.

Pedro: ¿Y ha tenido algún susto?

Antonio: ¡Uy, sí! Como no. Una vez me atracaron unos pelaos en un callejón oscuro. Me quitaron todo, hasta el radio del carro.

Pedro: ¡Qué bárbaro!

Antonio: Sí, mi llave. Pero gracias a Dios no me pasó nada grave.

Pedro: ¿Y qué le gusta más de ser taxista?

Antonio: Lo que más me gusta es conocer gente. He conocido a personas de todas partes del mundo. Y cada uno tiene una historia que contar.

Pedro: Eso sí es interesante.

Llegan al Pie de la Popa.

Antonio: Aquí estamos, mi llave.

Pedro: ¡Muchas gracias por la carrera!

Antonio: No hay de qué, mi llave. Que tenga un buen viaje.

Pedro: ¿Cuánto le debo?

Antonio: Son 15 mil pesos, mi llave.

Pedro: Aquí tiene.

Antonio: ¡Muchas gracias!

Pedro: ¡Hasta luego!

Antonio: ¡Hasta pronto!

Pedro se va y Antonio se queda solo en el taxi. Suspira y mira hacia el cielo. Sabe que la vida de taxista no es fácil, pero también sabe que es una vida llena de aventuras y sorpresas.

Vocabulario:

1. **El sol raja:** Hace mucho calor.
2. **Destartalado:** En mal estado o desordenado.
3. **Mi llave:** Expresión coloquial para referirse a un amigo o compañero.
4. **Apure:** Prisa o urgencia.
5. **Santimén:** Cuidado o precaución.
6. **Cobra:** Acción de recibir dinero por un servicio o producto.
7. **Bandidos:** Personas que cometen actos ilegales.
8. **Botica:** Establecimiento donde se venden medicamentos.
9. **Oficio:** Actividad u ocupación laboral.
10. **Maña:** Habilidad o destreza en la realización de algo.
11. **Susto:** Emoción fuerte causada por miedo o sorpresa.
12. **Atracaron:** Ser víctima de un robo violento.
13. **¡Qué bárbaro!:** Expresión de asombro o incredulidad.
14. **¿Cuánto le debo?:** Pregunta sobre la cantidad a pagar por un servicio o producto.

Preguntas de elección múltiple

Selecciona la alternativa correcta:

1. ¿Qué tipo de carro conduce Antonio?

   a) Un Chevrolet Spark
   b) Un taxi amarillo
   c) Un carro de lujo
   d) Un autobús público

2. ¿A dónde lleva Antonio a su pasajero, Pedro?

   a) Al centro de Cartagena
   b) A la playa
   c) Al Pie de la Popa
   d) Al aeropuerto

3. ¿Qué tema de conversación surge entre Antonio y Pedro durante el viaje en taxi?

   a) La situación del tráfico en Cartagena
   b) Experiencias de Antonio como taxista
   c) Los precios de los taxis en la ciudad
   d) Historias de Pedro como viajero

4. ¿Qué le gusta más a Antonio de ser taxista?

   a) Conducir rápido por la ciudad
   b) La posibilidad de conocer gente de todo el mundo
   c) Las historias de atracos que ha vivido
   d) La tranquilidad de trabajar solo

5. ¿Qué le sucedió a Antonio en un incidente pasado?

   a) Le robaron su taxi
   b) Lo atracaron unos bandidos
   c) Tuvo un accidente grave
   d) Se quedó sin gasolina en medio del viaje

17. EL ESTUDIANTE UNIVERSITARIO

Un pequeño apartamento de dos habitaciones. La luz del sol se filtra por las rendijas de las ventanas. Mauricio, con ojeras y visiblemente cansado, se toma un café mientras hojea un libro de cálculo. Carmen, con delantal y manos en la cintura, lo observa desde la cocina.

Carmen: ¿Mijo, y hasta qué hora vas a estar con esos libros? Mañana tienes que madrugar pa' la universidad y no has dormido nada.

Mauricio: Ya casi termino, mamá. Tengo que estudiar para el parcial de cálculo, si no me va bien me joden la carrera.

Carmen: Yo sé que estás estresado, mijo, pero no te exijas tanto. La vida no es solo estudiar.

Mauricio: Es que si no estudio, ¿cómo voy a salir adelante? Usted sabe que la U pública es dura y con el rebusque que tengo no me alcanza pa' todo.

Carmen: Eso sí es verdad. Yo quisiera poder ayudarte más, pero con lo que gano vendiendo empanadas no es mucho.

Mauricio: No se preocupe, mamá, yo voy a salir adelante. Usted confíe en mí.

Carmen: Te quiero mucho, mijo. Y recuerda que siempre voy a estar aquí para apoyarte en lo que necesites.

Mauricio: Gracias, mamá.

Mauricio camina por el campus universitario con un grupo de amigos.

Camilo: ¿Qué hubo, parcero? ¿Preparado para el examen de cálculo?

Mauricio: No sé, man. Esa vaina está rechimba.

Natalia: Tranquilo, Mauricio. Si estudiaste bien, no vas a tener problemas.

Andrés: O si no, siempre podemos copiarle a la nerd de Mariana.

Mauricio: No sean gamines, manes. Esa vaina no es de juego. Si nos pillan nos echan de la U.

Camilo: Tranquilo, mijo, que yo tengo un plan B.

Mauricio: ¿Y cuál es?

Camilo: (Saca un pequeño libro de su bolsillo) El "Copi-fácil", parcero.

Mauricio: Ustedes sí son verracos, manes.

Un mes después, Mauricio se encuentra en la biblioteca de la universidad, estudiando con Natalia. Ambos se concentran en sus libros y apuntes.

Natalia: Ya casi terminamos. Creo que ya estamos listos para el examen.

Mauricio: Sí, yo también lo creo. He estado estudiando mucho y me siento más seguro.

Natalia: Me alegro mucho por ti, Mauricio. Sabía que podías hacerlo.

Mauricio: Gracias, Natalia. Tu apoyo ha sido muy importante para mí.

Día del examen de cálculo. Mauricio está sentado en el aula, junto a sus compañeros. Todos se ven nerviosos. El profesor ingresa al aula y comienza a repartir los exámenes.

Mauricio: Tranquilo, Mauricio. Tú puedes hacerlo.

Dos semanas después. Los resultados del examen están publicados. Mauricio se acerca con cautela al tablón de anuncios. Busca su nombre y encuentra una nota: Aprobado. Mauricio está sentado en la mesa, cenando con su madre.

Carmen: ¿Y cómo te fue en el examen de cálculo, mijo?

Mauricio: ¡Saqué una A, mamá!

Carmen: ¡Ay, mijo! ¡Qué alegría! Estoy tan orgullosa de ti.

Mauricio: Gracias, mamá. Esto no habría sido posible sin tu apoyo.

Carmen: Tú eres el que ha hecho todo el esfuerzo, mijo. Yo solo te he acompañado en el camino.

Mauricio: Te quiero mucho, mamá.

Carmen: Y yo te quiero más, mijo.

Mauricio y Carmen se sonríen, con la satisfacción de haber superado juntos un desafío.

Vocabulario:

1. **Redijas:** Hendidura o abertura.
2. **Hojea:** Examinar o pasar las páginas de un libro o documento.
3. **Delantal:** Prenda de vestir que cubre la parte frontal del cuerpo.
4. **Parcial:** Relativo a una parte específica de algo.
5. **Joden:** Molestan o causan problemas.
6. **Usted:** El trato con 'usted' es el que los bogotanos utilizan para dirigirse a extraños o a personas con las que están comenzando a establecer una relación.
7. **Rebusque:** Búsqueda o actividad para ganarse la vida.
8. **Man:** Término coloquial para referirse a un amigo o compañero.
9. **Rechimba:** Algo emocionante o excepcional.
10. **Copi-fácil:** Lugar donde se realizan copias de documentos fácilmente.
11. **Verracos:** Hombres o personas valientes.
12. **Repartir:** Distribuir algo entre varias personas.
13. **Tablón:** Superficie plana y alargada.

Preguntas de elección múltiple

Selecciona la alternativa correcta:

1. ¿Qué está haciendo Mauricio al principio de la historia?

    a) Cocinando
    b) Estudiando
    c) Durmiendo
    d) Mirando televisión

2. ¿Qué le preocupa a Carmen sobre Mauricio?

a) Que no esté comiendo bien
b) Que no esté durmiendo lo suficiente
c) Que no esté trabajando
d) Que no esté saliendo con amigos

3. ¿Cómo intentan los amigos de Mauricio prepararse para el examen de cálculo?

a) Estudiando en grupo
b) Utilizando un libro de copias
c) Pidiendo ayuda a Natalia
d) Copiando de Mariana

4. ¿Cómo se siente Mauricio después del examen?

a) Nervioso
b) Seguro
c) Triste
d) Decepcionado

5. ¿Cuál es el resultado del examen de cálculo de Mauricio?

a) Aprobado
b) Reprobado
c) Pendiente
d) No se menciona en la historia

18. RUTINA DE TRABAJO

María, una mujer de 38 años, madre soltera de dos niños, trabaja como empleada doméstica en una lujosa casa del Poblado, un exclusivo sector de Medellín. Se levanta de la cama con un ligero dolor de espalda, producto de la jornada del día anterior. Se prepara un café aguado y un pan con arequipe mientras revisa su celular.

María: (Suspira) Ojalá que la señora Laura no esté tan exigente hoy.

María se viste con un vestido azul y un mandil blanco. Toma su bolso y se dirige a la parada del autobús. María viaja en un autobús abarrotado de gente.

Señora: ¿Usted trabaja en El Poblado, mija?

María: Sí, señora. ¿Y usted?

Señora: Yo también. Trabajo como niñera en una casa de la Loma de los Bernal.

María: ¡Qué bueno! Ese sector es muy bonito.

Señora: Sí, pero el trabajo es duro. Hay que aguantar las exigencias de los patrones.

María: Eso sí es verdad. A mí me toca lidiar con la señora Laura, que es bastante quisquillosa.

Señora: Ánimo, mija. La vida nos pone estas pruebas para que seamos más fuertes.

María: Gracias, señora. Usted sí que sabe hablar bonito.

María se baja del autobús y camina hacia la casa donde trabaja. Es una mansión de tres pisos con piscina, jardín y garaje para dos carros. María toca el timbre y la recibe la señora Laura.

Señora Laura: Buenos días, María. ¿Llegó puntual?

María: Sí, señora Laura. Buenos días.

Señora Laura: Perfecto. Entre y póngase a trabajar. Hoy hay mucho que hacer.

María: Sí, señora.

María comienza su jornada de trabajo. Limpia la casa, lava los platos, plancha la ropa y hace las compras. La señora Laura la observa constantemente y le hace comentarios sobre su trabajo.

Señora Laura: María, ¿ya limpió el baño del segundo piso?

María: Sí, señora Laura. Ya está listo.

Señora Laura: ¿Y el polvo de las lámparas? No lo veo muy bien.

María: (Disculpándose) Lo siento, señora Laura. Enseguida lo hago.

María trabaja sin parar hasta la hora del almuerzo. Come una empanada fría que trajo de su casa y luego continúa con su trabajo. En la tarde, María termina de limpiar la casa y se prepara para irse. La señora Laura le da el dinero del día.

Señora Laura: Aquí tiene su pago, María.

María: Gracias, señora Laura.

Señora Laura: ¿Y sus hijos? ¿Cómo están?

María: Bien, señora Laura. Gracias por preguntar.

Señora Laura: Asegúrese de que estudien y hagan sus tareas. La educación es lo único que les va a sacar adelante en la vida.

María: Sí, señora Laura. Yo me esfuerzo para darles lo mejor.

María se despide de la señora Laura y se va a casa. Llega cansada y con dolor de pies. Sin embargo, tiene una sonrisa en su rostro. Sabe que su trabajo duro le dará a sus hijos la oportunidad de tener un futuro mejor.

Vocabulario:

1. **Empleada doméstica:** Persona contratada para realizar tareas domésticas.
2. **Jornada:** Período de trabajo.
3. **Café aguado:** Café diluido o débil.
4. **Arequipe:** Dulce típico de Colombia, similar a la dulce de leche.
5. **Mandil:** Delantal.
6. **Abarrotado:** Lleno o atestado.
7. **Patrones:** Personas que tienen empleados a su cargo.
8. **Lidiar:** Afrontar o enfrentar una situación difícil.

9. **Quisquillosa:** Persona exigente o difícil de complacer.
10. **Timbre:** Dispositivo que emite un sonido para indicar algo.

Preguntas de elección múltiple

Selecciona la alternativa correcta:

1. ¿Cómo se siente María al principio del día?

a) Cansada
b) Feliz
c) Preocupada
d) Relajada

2. ¿Cómo es el viaje de María en el autobús?

a) Tranquilo
b) Agotador
c) Lujoso
d) Rápido

3. ¿Qué sector de Medellín menciona la señora con la que María conversa en el autobús?

a) El Poblado
b) Loma de los Bernal
c) Belén
d) Envigado

4. ¿Qué tarea doméstica menciona la señora Laura que le falta hacer a María?

a) Limpiar el polvo
b) Lavar la ropa
c) Limpiar el baño
d) Cortar el césped

5. ¿Cuál es el consejo que la señora Laura le da a María sobre sus hijos?

a) Que jueguen más

b) Que estudien y hagan sus tareas
c) Que trabajen desde jóvenes
d) Que no se preocupen por la educación

19. LA FAMILIA CAFETERA

El sol de la mañana se filtraba entre las hojas de plátano, iluminando la pequeña parcela de café en la que Alejandro, un hombre de 50, revisaba las matas con una mirada preocupada. A su lado, Marina, su esposa, de 48 años y con la fuerza inquebrantable de las mujeres campesinas, preparaba el almuerzo en un fogón de leña.

Alejandro: Este año el café está más berraco que nunca. La cosecha es escasa y los precios bajan cada vez más.

Marina: Ni me lo digas, Alejandro. Ya no sé cómo vamos a hacer para pagar las cuentas y sacar adelante a los muchachos.

Alejandro: (Golpea la tierra con el azadón) Yo tampoco, Marina. Esta tradición cafetera que tanto nos ha costado levantar se nos está viniendo abajo.

Marina: No te desanimes, viejo. Siempre hemos encontrado la manera de salir adelante.

Alejandro: Sí, pero esta vez es diferente. Los jóvenes no quieren saber nada del café. Buscan otras oportunidades en la ciudad, donde creen que la vida es más fácil.

Marina: Es verdad. Juan ya se fue a estudiar a Medellín y Mariana quiere seguir sus pasos. No sé cómo vamos a convencerlos de que se queden aquí, en su tierra.

Alejandro: Tenemos que hablar con ellos, Marina. Hacerles entender que esto no solo es un trabajo, sino una herencia, una forma de vida.

Marina: Tienes razón. Debemos recordarles el orgullo que significa trabajar la tierra que nos vio nacer, el valor de cultivar un producto que nos identifica como colombianos.

Alejandro: Y quién sabe, tal vez con el tiempo, ellos encuentren la pasión por el café que nosotros sentimos y decidan continuar con la tradición familiar.

Marina: No lo dudo, Alejandro. La sangre cafetera corre por sus venas, tarde o temprano lo sentirán.

Alejandro: Mientras tanto, seguiremos luchando por mantener este legado, por nuestro futuro y el de nuestros hijos.

Marina: Juntos, como siempre lo hemos hecho, Alejandro.

En los días siguientes, Alejandro y Marina conversaron con Juan y Mariana sobre la importancia del café en sus vidas.

Alejandro: Sabemos que existen dificultades, pero también es satisfactorio vivir de lo que nos da la madre tierra.

Marina: De generación en generación nos hemos esforzado para vivir una vida digna a partir del café.

Las palabras de sus padres calaron hondo en los corazones de los jóvenes. Juan y Mariana comprendieron que el café era mucho más que un simple producto, era una parte de su identidad y la de su familia.

Vocabulario:

1. **Parcela:** Porción de terreno.
2. **Matas:** Plantas de pequeño tamaño.
3. **Fogón:** Lugar donde se cocina, especialmente al aire libre.
4. **Azadón:** Herramienta agrícola utilizada para cavar.
5. **Viejo:** Término coloquial usado para referirse a una persona, independientemente de su edad.
6. **Convencerlos:** Persuadirlos o hacer que acepten algo.
7. **Herencia:** Bienes o características transmitidas de generación en generación.

Preguntas de elección múltiple

Selecciona la alternativa correcta:

1. ¿Qué edad tiene Alejandro?

a) 40 años
b) 45 años
c) 50 años
d) 55 años

2. ¿Qué está preocupando a Alejandro en la parcela de café?

a) La falta de agua
b) La presencia de plagas
c) La escasa cosecha y los bajos precios
d) La calidad del café

3. ¿Cómo está preparando el almuerzo Marina?

a) En una cocina moderna
b) En un fogón de leña
c) En una parrilla
d) En un horno eléctrico

4. ¿Por qué Alejandro y Marina están preocupados por el futuro de sus hijos?

a) Porque quieren que estudien en la ciudad
b) Porque creen que la vida en la ciudad es más fácil
c) Porque los jóvenes no quieren continuar con la tradición cafetera
d) Porque no pueden pagar la educación de sus hijos

5. ¿Qué buscan los jóvenes en la ciudad, según Alejandro?

a) Oportunidades de trabajo
b) Facilidades de transporte
c) Acceso a la tecnología
d) Una vida más sencilla

20. EL VENDEDOR AMBULANTE

Diego lleva 10 años vendiendo arepas en las calles de Bogotá. Su pequeño negocio, ubicado en una esquina concurrida del centro de la ciudad, le permite ganarse el sustento diario para él y su familia. Sin embargo, Diego enfrenta una constante lucha contra las dificultades económicas, las regulaciones gubernamentales y las complejidades de las relaciones personales.

Javier: (Acercándose al carrito de arepas) ¡Buenos días, don Diego! ¿Me regalas una arepita?

Diego: ¡Buenos días, Javier! ¡Claro que sí! Aquí te tengo una calientita, rellena de queso y hogao.

Javier: ¡Deliciosa como siempre, don Diego! Usted sí sabe cómo alegrar el desayuno.

Diego: ¡Gracias, Javier! Me alegra que te guste. ¿Y cómo amaneciste hoy?

Javier: Pues regular, don Diego. La calle está dura por estos lados.

Diego: Sí, Javier, la situación es difícil para todos. Pero no te desanimes, hay que seguir echándole pa'lante.

Javier: Eso sí, don Diego. Usted siempre con esa energía positiva.

Diego: ¡Es que uno no puede dejarse vencer por las dificultades! Hay que ser como las arepas, siempre calientes y con una sonrisa en la cara.

Javier: ¡Tiene razón, don Diego! Me voy con más ánimo para el trabajo.

Diego: ¡Así me gusta, Javier! Que tengas un buen día.

Más tarde, mientras Diego atiende a sus clientes, un inspector de la policía se acerca al carrito de arepas.

Inspector: Buenos días, señor. ¿Tiene los permisos en regla para vender en este espacio público?

Diego: Buenos días, señor inspector. Sí, tengo todos los papeles en regla. Aquí le muestro mi permiso de vendedor ambulante y el certificado de manipulación de alimentos.

Inspector: Muy bien, todo parece estar en orden. Pero tenga cuidado, hay muchos vendedores ilegales en la zona y no queremos tener problemas.

Diego: Sí, señor inspector, lo entiendo. Yo siempre cumplo con las normas.

Inspector: (Con un tono severo) Asegúrese de hacerlo, señor. De lo contrario, se le confiscará la mercancía y se le aplicará una multa.

Diego: Sí, señor inspector.

Al final del día, Diego se encuentra cansado, pero con la satisfacción de haber trabajado duro. Cuenta las ganancias del día, que no son muchas, pero le permiten cubrir las necesidades básicas de su familia.

Vocabulario:

1. **Arepas:** Alimento típico de Colombia, hecho a base de masa de maíz.
2. **Sustento:** Medio de vida o fuente de ingresos.
3. **Complejidades:** Aspectos complicados o difíciles de entender.
4. **¿Men regalas...?:** Expresión coloquial para comprar algo en una tienda.
5. **Hogao:** Salsa colombiana hecha con tomate y cebolla.
6. **La calle está dura:** La situación en la calle es difícil o complicada.
7. **En regla:** En conformidad con las normas o regulaciones.
8. **Confiscará:** Tomar posesión de algo como castigo o medida legal.

Preguntas de elección múltiple

Selecciona la alternativa correcta:

1. ¿Cuánto tiempo lleva Diego vendiendo arepas en las calles de Bogotá?

   a) 5 años
   b) 8 años
   c) 10 años
   d) 15 años

2. ¿Dónde está ubicado el pequeño negocio de Diego?

a) En un centro comercial
b) En una esquina concurrida del centro de la ciudad
c) En las afueras de la ciudad
d) Cerca de una estación de transporte público

3. ¿Qué le vende Diego a Javier?

a) Una empanada
b) Una arepa rellena de queso y hogao
c) Un café
d) Una torta

4. ¿Cómo describe Diego la situación económica?

a) Fácil para todos
b) Regular para todos
c) Difícil para todos
d) Buena para todos

5. ¿Qué mensaje positivo comparte Diego con Javier?

a) Hay que seguir echándole pa'lante
b) La situación nunca mejorará
c) Es mejor rendirse
d) No hay esperanza

ANSWERS

1) La abuela

1. a) Jugar al tejo y charlar en la esquina del parque
2. b) La Semana Santa y sus procesiones
3. b) Como una tradición única con pasos religiosos
4. b) Descubrió petroglifos que contaban la historia de los indígenas
5. b) La importancia de mantener viva la chispa de la aventura

2) Buscando empleo

1. b) Encontrar trabajo en un mercado laboral competitivo
2. d) Pelado
3. a) Ampliar la búsqueda y considerar nuevas oportunidades
4. b) Desanimado y derrotado
5. b) El éxito de Diego en su nuevo trabajo

3) El reto universitario

1. c) Superar barreras culturales y económicas
2. d) La posibilidad de cambiar sus vidas
3. b) Busca cambiar la realidad en La Guajira
4. a) Expresión de asombro
5. b) Cambiar la realidad requiere esfuerzo y determinación

4) El agricultor

1. b) Desafíos climáticos y económicos

2. a) Implementar sistemas de riego eficientes
3. b) Los intermediarios se llevan la mejor parte
4. c) Organizar ferias locales y establecer contactos directos
5. b) Deseoso de mejorar

5) Paseo en autobús

1. c) Guasca
2. b) Buseta
3. b) Los complica y alarga
4. c) Les habla de la vida y les cuenta chistes
5. c) Encontrar un sombrero olvidado

6) El voluntariado

1. c) Cartagena
2. b) Reparar bicicletas
3. b) Más acceso a alimentos
4. b) Mejorar las instalaciones deportivas
5. c) Taller de arte

7) El recolector de café

1. b) Risaralda
2. b) Cosechar café
3. c) Marcador de sus vidas
4. a) Oro negro de Colombia
5. c) Más respaldo

8) El artista callejero

1. b) Paredes grises
2. c) Sobre la violencia de género
3. c) Generaban reacciones encontradas
4. b) Por vandalismo
5. a) Organizó una protesta pacífica

9) Fútbol aficionado

1. c) Lucía
2. c) Roja y desteñida
3. b) La Esperanza
4. c) Regateó a los defensas con habilidad
5. b) Levantaron la copa de campeones

10) La mestra

1. b) En la selva colombiana
2. b) Con un sombrero de paja
3. c) Tiza
4. c) ¿Qué letra sigue después de la "M"?
5. b) "No tenemos uno en la escuela por ahora"

11) Emprendimiento en Medellín

1. b) Medellín
2. c) Dificultades con un algoritmo
3. d) Coordinadora
4. b) La competencia en el sector
5. a) En Plaza Mayor

12) En el barrio de Cali

1. d) Cali, Colombia
2. c) Aromas a café recién hecho
3. b) Pandebonos
4. b) Vende frutas y verduras en el mercado
5. c) Lee sobre la historia de Cali

13) Pescando en la costa caribeña

1. b) Ciénaga Grande de Santa Marta, Colombia
2. c) Cambios en el clima
3. b) Deciden luchar por la recuperación de la Ciénaga
4. a) Organizan jornadas de limpieza y siembran mangle
5. c) La Ciénaga comienza a recuperarse

14) El aspirante a músico

1. c) Barranquilla, Colombia
2. c) Ser un artista reconocido en la música
3. b) Le pide que sea realista y busque un trabajo estable
4. c) Grita emocionado y aplaude
5. c) Promete luchar por su sueño, cueste lo que cueste

15) La vida en un pueblo del Amazonas

1. b) A orillas del río Amazonas en Colombia
2. c) La pérdida de interés de los jóvenes en las tradiciones
3. b) Utilizando las redes sociales y organizaciones ambientales
4. b) Proyectos de desarrollo sostenible
5. c) Se muestran entusiastas y colaboran en la preservación de la cultura

16) El taxista

1. a) Un Chevrolet Spark
2. c) Al Pie de la Popa
3. b) Experiencias de Antonio como taxista
4. b) La posibilidad de conocer gente de todo el mundo
5. b) Lo atracaron unos bandidos

17) El estudiante universitario

1. b) Estudiando
2. b) Que no esté durmiendo lo suficiente
3. b) Utilizando un libro de copias
4. b) Seguro
5. a) Aprobado

18) Rutina de trabajo

1. c) Preocupada
2. b) Agotador
3. b) Loma de los Bernal
4. a) Limpiar el polvo
5. b) Que estudien y hagan sus tareas

19) La familia cafetera

1. c) 50 años
2. c) La escasa cosecha y los bajos precios
3. b) En un fogón de leña
4. c) Porque los jóvenes no quieren continuar con la tradición cafetera
5. a) Oportunidades de trabajo

20) EL vendedor ambulante

1. c) 10 años
2. b) En una esquina concurrida del centro de la ciudad
3. b) Una arepa rellena de queso y hogao
4. c) Difícil para todos
5. a) Hay que seguir echándole pa'lante

FINAL WORDS

We hope you enjoyed reading the captivating stories in *Short Stories in Colombian Spanish*. Throughout these pages, you've not only improved your Spanish skills but also expanded your vocabulary with common words related to everyday life in Colombia.

This book was carefully designed to make your language learning experience rewarding and effective. Each story is filled with emotions and contexts that have allowed you to naturally absorb new words and expressions. Learning is a continuous process, and we encourage you to keep practicing and strengthening your skills through reading.

We want to thank you for choosing *Short Stories in Colombian Spanish* as your study companion in this fascinating language journey. We wish you much success in your ongoing learning adventure and trust that these stories have not only enriched your vocabulary but also deepened your appreciation for the richness of spoken Spanish in Colombia. We look forward to accompanying you on future explorations within the wonderful world of the Spanish language.

Goodbye for now!

Made in the USA
Middletown, DE
07 June 2024